LE POURQUOI DES POURQUOI

Colette Pericchi

LE POURQUOI DES POURQUOI

•MARABOUT•

Sommaire

Introduction

« Où j'étais quand j'étais pas né ? » « Où je serai quand je serai mort ? » « Qui c'est qui a construit la terre ? » « Pourquoi papa, il a pas tué la guerre ? » « C'est quand bientôt ? » Les enfants nous émerveillent toujours lorsque, mine de rien, souvent à brûle-pourpoint, ils nous posent des questions que nous ne nous posons plus guère, nous les grandes personnes, dans la vie de tous les jours. Avec un instinct sûr et une connaissance qui semble leur venir de très loin, les jeunes enfants, s'ils sont en confiance, posent les questions que nous avons reléguées au plus profond de nous-mêmes.

Étonnés devant le monde qui s'ouvre à eux, ils cherchent à comprendre les phénomènes de la vie avec la logique propre à leur âge. Le jeune enfant s'interroge sur tout, et pour lui rien ne va de soi. Se posant sans le savoir en jeune philosophe, il formule les questions fondamentales. Les enfants sont également des poètes. Leur monde est encore tout imprégné de magie, et les théories explicatives de leur cru, imaginaires et poétiques, n'ont souvent pas grand-chose à voir avec la réalité. En quête d'un savoir sur le monde qui les entoure et qui leur semble si mystérieux, ils cherchent avec passion à vérifier les idées qu'ils s'en font. Ils se tournent alors vers les adultes, détenteurs à leurs yeux d'un savoir global sur le réel de la vie. Ce réel, ils y sont confrontés à l'approche de l'« âge de raison », vers sept-huit ans. Ils sont alors peu à peu pris dans un système de connaissances organisé, une construction ou reconstruction intellectuelle du monde. L'ouverture sur les questions essentielles – les questions existentielles – se referme progressivement, tandis qu'ils entrent dans le monde des adultes. Ainsi, c'est par la connaissance que l'on sort du paradis de l'enfance, l'acquisition de la lecture accompagnant ce passage : « Lire, c'est donc ça : s'emparer d'une longe de lettres pour le seul plaisir, au bout du compte, d'avoir compris ? C'est le moyen de connaître tout ce que le monde ne montre pas de lui », écrit Irène Frain[1], qui se souvient de l'ouverture extraordinaire sur l'extérieur qu'avait été pour elle la découverte de la lecture, avec la fin de nombreux mystères.

Ce passage du temps des pourquoi à celui du savoir a été décrit de façon poétique et imagée par Jostein Gaarder comme le temps où Adam et Ève ont été chassés du paradis terrestre : lorsque Dieu les créa, Adam et Ève « étaient deux petits enfants curieux de tout qui [...] se sentaient des rois dans le vaste jardin que le Seigneur venait de créer. [...] Puis ils furent séduits par le serpent qui les fit goûter à l'arbre de la Connaissance et se mirent à grandir : plus ils mangeaient, plus ils devenaient adultes. C'est ainsi qu'ils furent petit à petit chassés du paradis de l'enfance[2] ».

Le monde de l'enfance est ainsi souvent comparé au paradis. Mais l'est-il vraiment ? Les adultes qui le décrivent comme tel ont sans doute oublié combien cette époque de la vie est imprégnée de magie, certes, mais également chargée d'incertitudes, elles-mêmes porteuses d'inquiétude et d'anxiété. « L'enfance n'est pas puérile du tout. [...] L'enfant passe son temps à ne pas comprendre, et à vouloir essayer de comprendre pratiquement, par l'expérience », écrit Amélie Nothomb[3].

L'adulte oublie en particulier que la perception du monde par l'enfant est très différente de la sienne. Les enfants ont de nos jours beaucoup d'informations à leur disposition, mais leurs possibilités d'analyse ne leur permettent pas, étant donné le stade de leur développement, de donner aux choses et aux événements la valeur relative qu'ils ont dans la réalité, en tout cas dans la réalité des adultes. Ainsi, la nouvelle entendue à la radio d'une prise d'otage ou de la disparition d'un enfant peut les terroriser. Si personne ne le leur a expliqué, comment en effet peuvent-ils savoir qu'il n'y a pas chaque jour et partout des prises d'otages et des enlèvements ?

Les enfants se sentent vulnérables dans un certain nombre de circonstances dont l'aspect inquiétant échappe à l'adulte. Ils s'imaginent menacés par des événements qui, dans la réalité, ne les concernent pas directement. N'oublions pas non plus que, encore à six ans souvent, la frontière entre le réel et l'imaginaire reste floue ; le monde de l'enfant est peuplé non seulement de fées, mais aussi d'ogres. Il n'y a qu'à voir comment des enfants déjà grands hurlent de terreur, même s'ils savent que c'est un jeu, quand une grande personne s'amuse à faire l'ogre ou le loup !

C'est donc plutôt entre deux-trois ans et six-sept ans que l'enfant pose les questions que nous qualifions de « métaphysiques ». À cette époque de sa vie, il porte sur tout un regard sans référence, c'est-à-dire sans *a priori*, sans préjugé ; un regard naïf et intensément curieux. Ainsi, par les abîmes qu'il ouvre devant nous, il peut apparaître parfois comme un vrai philosophe. Pourtant, il n'y a souvent chez lui qu'un immense étonnement devant l'existence du monde. Plus tard, ses questions, fondamentales, rejoindront celles que se posent les spécialistes des sciences – physiques ou humaines. Ceux-ci les catalogueront et tenteront d'y répondre.

Trois à six-sept ans, voilà donc la tranche d'âge à laquelle nous allons nous référer. Avec ces enfants en route vers l'âge de raison, nous allons faire une « plongée au centre de l'univers [4] ». C'est l'époque des pourquoi et des comment, parfois épuisants pour les parents et les éducateurs. Dès qu'il parvient à bien s'exprimer, l'enfant n'hésite pas à poser toutes les questions qui lui viennent à l'esprit sans aucun tabou ni retenue, car, pour lui, il n'y en a pas. Surprises et embarrassées, les grandes personnes peuvent parfois en être gênées par rapport à l'entourage.

Les questions et les réflexions des jeunes enfants portent aussi bien sur les faits et gestes quotidiens que sur les grands mystères de la vie – comme de la mort d'ailleurs. Ces dernières questions, « métaphysiques » ou existentielles, qui ont trait à l'origine et à la destinée de l'être humain et de l'univers, ainsi qu'aux problèmes de la connaissance, ont particulièrement retenu notre attention. Celles que nous avons pu entendre et capter, à l'instar de tous ceux qui côtoient de jeunes enfants, nous ont remplie d'étonnement et d'admiration. C'est cet étonnement et cette admiration que nous avons aussi voulu faire partager ici.

Outre les questions et les remarques de jeunes enfants, nous avons recueilli dans la littérature des souvenirs d'adultes – écrivains ou poètes – qui non seulement se souviennent de leur enfance, mais ont gardé la faculté de voir le monde à travers leurs yeux d'enfants. La fraîcheur de leur regard et de leur réflexion – leur naïveté d'antan qui les faisait s'étonner de tout – leur permet de retrouver, en même temps qu'ils nous aident à la retrouver, la vision qu'ils avaient alors de ce qui les entourait. Ces adultes sont de plain-pied avec l'imaginaire des enfants. Ils n'ont pas besoin, pour nous parler de l'enfant, de faire la traduction adulte-enfant.

Parmi ces visionnaires du passé, citons Andersen, auteur, il y a deux siècles, de contes bien connus, qui d'ailleurs s'adressent également aux adultes[5]. Andersen « a été l'un des premiers à décrire le monde avec des yeux d'enfants. [...] Contrairement à d'autres auteurs de contes, [il] pose davantage de questions qu'il n'apporte de réponses[6] ». Nous citerons aussi quelques auteurs contemporains d'ouvrages en partie au moins autobiographiques.

Nous avons essayé de regrouper ces questions et ces réflexions par thèmes, cherchant surtout à découvrir ce qui pousse les jeunes enfants à les exprimer. En fait, aux âges auxquels nous

nous sommes intéressée [7], les enfants s'interrogent essentiellement sur les êtres, les choses, les phénomènes qui les touchent
de près, plutôt qu'à des entités abstraites, comme l'amour,
l'amitié, la liberté, la justice, ce qu'ils feront plus tard, adolescents. Nous n'évoquerons donc ici que les domaines touchant
à leur existence personnelle, ceux qui font l'objet de leurs
préoccupations.

Plutôt que d'apporter des réponses toutes faites aux questions
des enfants, nous allons, dans cet ouvrage, essayer d'en interpréter quelques-unes afin d'en comprendre les différentes
significations. Nous connaîtrons mieux ainsi les besoins et les
attentes des enfants et pourrons y répondre avec plus de justesse. Quelques pistes et recommandations seront données à
ceux qu'une écoute plus fine intéresse et qui souhaitent accom-
pagner l'enfant dans sa découverte du monde.

Les parents, les grands-parents et les éducateurs se trouvent
souvent décontenancés, voire démunis, devant la profondeur
et le monde de réflexion que ces interventions entraînent. En
essayant de lire entre les lignes, ou plutôt d'écouter ce qui est
sous-entendu, nous les aiderons à suivre les enfants dans leur
quête de sens. Ainsi, nous redécouvrirons avec eux l'émerveillement devant le monde qui nous entoure et la soif de
comprendre. En quelque sorte aussi, nous philosopherons
ensemble. Philosopher, pour les adultes, n'est-ce pas s'interroger sur la vie et prolonger ainsi, tout en cherchant des
réponses, les « pourquoi » des enfants ?

À l'écoute de l'enfant, l'adulte peut retrouver une naïveté origi-nelle et s'étonner à nouveau. Or, nous savons que la capacité d'étonnement est une qualité indispensable pour s'ouvrir à l'in-connu et progresser. En cela, la disponibilité totale de l'enfant pourrait servir de modèle à l'adulte. « On aime ressentir l'in-fluence bienfaisante d'un enfant, écrit Kierkegaard, se mettre à son école et, l'âme apaisée, l'appeler son maître avec recon-naissance. »

L'ENFANT À LA DÉCOUVERTE DE LUI-MÊME

1

DIS, POURQUOI ?

« Dis, pourquoi elles brillent, les étoiles ? », « Et à quoi elles s'accrochent ? », « Pourquoi elles piquent, les roses ? », « Pourquoi il pleut ? » et « D'où il vient le vent ? », demande l'enfant curieux à propos de ce qu'il voit et entend autour de lui. Tout ce qui est sur terre, dans l'eau et dans le ciel — les êtres humains, les animaux, les plantes et leur fonctionnement — l'étonne et l'émerveille.

Lorsque les adultes entendent de telles questions, ils sont renvoyés à leur propre enfance et à leurs interrogations devant l'immensité de l'univers et les mystères de l'infini. Pour ceux qui le prolongeraient, ce questionnement concernerait finalement la place de l'homme dans un monde si grand et si complexe.

En réponse à ces questions, parfois immenses, viennent les explications de l'entourage, puis l'expérience et les connaissances acquises tant bien que mal au cours des études. Mais il y a ensuite d'autres priorités, et ces questions, que nous qualifierons de « scientifiques », sont laissées au soin des chercheurs et des savants. Ceux-ci prennent en quelque sorte le relais, que ce soit les astrophysiciens, les paléontologues, les anthropologues, les géologues, les généticiens ou les philosophes des sciences.

Les questions « scientifiques »

Quand on interroge des adultes sur les questions que leur posent les enfants de leur entourage – et quasiment tous en posent –, c'est à ces interrogations d'ordre scientifique qu'ils pensent en général. Au cas d'ailleurs où il n'y aurait pas de question, il arrive qu'ils les suggèrent eux-mêmes. Ils cherchent en effet à ouvrir l'enfant à des savoirs nouveaux : « Sais-tu pourquoi les étoiles brillent ? » ou « Sais-tu d'où vient la pluie ? ». Ces questions font appel à des connaissances que les parents et les enseignants sont censés détenir. Elles constituent en fait la base de l'enseignement, celui-ci devant, en principe, éveiller la curiosité des enfants avant d'y répondre.

Un grand nombre de questions « scientifiques » sont répertoriées dans des dictionnaires, encyclopédies et ouvrages de toutes sortes destinés à répondre aux « Pourquoi ? » des enfants. Elles sont classées en rubriques qui recouvrent tous les domaines de la vie : la préhistoire, le corps, l'alimentation, la nature, les émotions et les sentiments, et bien d'autres encore. La consultation par l'enfant des dictionnaires et des encyclopédies rédigées à son intention constitue un apport riche sur les plans intellectuel et affectif, et cela surtout s'il est accompagné par une grande personne qui peut le guider et répondre à ses questions.

En fait, l'aspect purement scientifique des questions n'intéresse réellement les enfants qu'à partir de sept-huit ans. Une certaine maturité intellectuelle, affective et sociale leur permet alors de commencer à se détacher mentalement de leur environnement concret direct et à penser les choses de façon abstraite. À cet âge, ils ont en outre acquis à l'école des connaissances préliminaires qui les aident dans leur raisonnement. Ainsi, un enfant ne demandera « Où habitaient les hommes préhistoriques ? » ou « Est-ce que tous les os ont la même forme ? » que s'il a déjà quelques notions d'histoire ou d'anatomie.

Le temps est révolu où les enfants n'avaient pas le droit d'interrompre une conversation de grandes personnes, lors des repas en particulier. Cela se passait un peu comme pour l'enfant éléphant de Rudyard Kipling dans *Histoires comme ça* [1]. Ce jeune éléphant était d'une insatiable curiosité, et chaque fois qu'il posait une question à un membre de sa famille, il recevait une fessée en guise de réponse. Que ce soit à sa tante l'autruche, à qui il avait demandé « pourquoi les plumes de sa queue poussaient comme ça », à son oncle l'hippopotame, à qui il avait demandé « pourquoi il avait les yeux rouges », ou à son oncle le babouin, à qui il avait demandé « pourquoi les melons avaient ce goût-là ». Jusqu'au jour où il posa une question qui lui fut presque fatale. Puisque personne d'autre ne voulait y répondre, il alla interroger l'animal lui-même : « Qu'est-ce que le crocodile mange au dîner ? » Et l'on devine ce qui faillit arriver !

Cette histoire nous fait penser à cette brève conversation entendue un dimanche après-midi dans la file des personnes qui, à l'entrée d'un musée, attendaient de passer le contrôle électronique des sacs. Le père remarque : « Ah ! Je comprends pourquoi il y a la queue. C'est parce qu'il y a un portique. » Le petit garçon qui l'accompagne, sans doute son fils, demande alors : « C'est quoi un portique ? » « Qu'est-ce qu'on t'apprend à l'école ? » réplique vivement le père. « C'est quoi un portique ? » demande à nouveau le petit garçon. « C'est ce qui porte les tiques », répond le père sérieusement. L'enfant se montre alors moins enfant et peut-être plus raisonnable que son père puisque, avec un rire peu assuré, il s'esclaffe : « Papa, tu te moques de moi ! »

Le dessous des cartes

Bien qu'elles soient importantes et que l'on doive y répondre, ce n'est pas aux questions de type scientifique ou technique en elles-mêmes que nous nous intéresserons ici, mais aux questions sous-jacentes, à celles qui se cachent, à l'insu de l'enfant, derrière la demande explicite. Ainsi, un enfant parle des dinosaures et des hommes préhistoriques. Il demande, par exemple, où habitaient nos ancêtres lointains, et si les dinosaures étaient méchants. Derrière la question purement objective et scientifique, un interlocuteur attentif peut entendre que l'enfant est curieux de sa préhistoire à lui : tout ce qu'il y avait avant lui, ce qui s'est passé, même d'effrayant, avant qu'il soit né, quand il n'avait pas encore conscience des choses, ce qui, nous le verrons dans le prochain chapitre, préoccupe beaucoup les enfants.

Depuis qu'elle est toute petite, Marianne collectionne des dinosaures miniatures, avec lesquels elle construit des scénarios interminables. Elle est devenue une experte dans le domaine des animaux préhistoriques. Capable de citer leur nom savant et les caractéristiques de chacun, elle est intarissable à leur sujet et pose mille questions. Son entourage essaie bien sûr de répondre le mieux possible à ces questions très pointues. On l'emmène aussi voir des expositions. On lui offre livres et cassettes concernant ces animaux.

En réalité, le puissant intérêt porté aux animaux préhistoriques traduit chez cette fillette une grande curiosité par rapport à ses origines. Bien qu'elle n'ait aucun doute sur ses ascendants directs – ses parents –, elle ne peut parler de son ascendance plus lointaine. En effet, du fait de non-dits dans la famille, un grand flou règne dans les discours des siens quant à sa généalogie. Les questions concernant les dinosaures et les hommes préhistoriques sont sans doute le signe, chez Marianne, d'un questionnement sous-jacent sur ses origines plus lointaines. Ne pas les connaître peut être pour l'enfant la cause d'une grande insécurité.

La pensée du jeune enfant est naturellement égocentrique. Même dans des questions à l'aspect purement technique et à caractère général, c'est toujours de lui qu'il parle. Avant septhuit ans, l'enfant est incapable de se « décentrer ». Il ne peut s'extraire en pensée du monde qui l'entoure, et dont il se vit comme le centre. Par exemple, s'il demande « Comment ils sont fabriqués les bébés ? » ou « Comment ils font pour sortir les bébés ? », c'est de lui bébé qu'il parle, ou des bébés qu'il pourrait connaître ou qui feraient partie de sa vie, mais non des bébés en général. Il a donc besoin d'entendre, à côté de la réponse générale, une réponse personnelle.

Quand elle est née, la Terre ?

Richard, six ans

Qui c'est qui a construit la Terre ?

Jeanne, cinq ans

Ces questions, que la plupart des enfants posent à partir de six-sept ans, semblent nettement scientifiques. Elles font appel à la physique, à l'astronomie, à la géologie et à d'autres sciences. Elles sont tout à fait intéressantes et elles montrent que l'enfant est intelligent et qu'il réfléchit. Toutefois, elles aussi peuvent être interprétées à plusieurs niveaux.
Il y a d'abord la demande explicite. La naissance de la Terre a été datée par les savants. Par ailleurs, différentes hypothèses ont été émises quant à sa création. Il faut répondre à l'enfant, même si cela n'est pas facile, en lui donnant des explications de type scientifique adaptées à son âge et avec des mots qu'il comprend. Cela est le premier niveau. Mais il peut y en avoir d'autres.
Lorsque Jeanne demande qui a construit la Terre, sa grand-mère, avec laquelle elle vient d'assister à la projection de des-

sins animés, lui demande à son tour si elle a une idée sur le sujet. Eh bien oui ! Jeanne sait qui a construit la Terre :

C'est comme quand mon papa veut construire quelque chose à la maison. Il va dans le placard à outils qui est dans la cuisine et il construit ce qu'il veut.

Jeanne, cinq ans

Tout le monde sait que les papas sont très forts en bricolage. Mais que sait-on d'eux quand ils fabriquent des bébés ? Et comment cela se passe-t-il ? Voilà quel est sans doute dans le cas présent le deuxième niveau de la question, qui montre par ailleurs l'importance du père : sa maîtrise des choses, son savoir-faire, la sécurité qu'il apporte à l'enfant.

Il faut souligner au passage que quand le jeune enfant pose une question, il a déjà souvent une réponse toute prête. En l'occurrence, lorsque Jeanne a interrogé sa grand-mère, celle-ci a d'abord été prise de court. Elle s'est alors lancée dans des explications qu'elle a tenté de rendre simples, avançant différentes hypothèses sur la création de la Terre : Dieu pour les croyants, le big-bang, etc. Puis, se ravisant, elle a retourné la question à l'enfant, découvrant que celle-ci n'attendait en fait que la confirmation de ses propres idées.

Une ouverture sur les préoccupations de l'enfant

Il est toujours intéressant et utile d'interpréter les demandes explicites des enfants. Être attentif à leur sens caché ouvre le plus souvent sur de grandes questions : des questions sur la vie, mais aussi des questions métaphysiques. Celles-ci constituent en outre une fenêtre sur le monde intérieur de l'enfant. Mélange de réalité, de mystère et de merveilleux, d'informations et de mythomanie, ce monde existe dans l'imagination de l'enfant, qui l'a construit, avec la logique de son âge, à partir de ce qu'il percevait et comprenait de son environnement : la vie de tous les jours, les émissions de télévision et de radio, les films, les bandes dessinées, les contes, les expériences diverses.

Ses questions permettent de mieux comprendre l'enfant :

Où est-ce qu'ils habitent les voleurs ?

Louis, cinq ans

Pour Louis, les voleurs constituent sans doute une entité sur laquelle il a cristallisé un certain nombre de ses peurs. C'est une espèce à part, comme les ogres, qui vivent dans la forêt, ou les sorcières, qui volent sur un balai et habitent des cabanes dans des endroits retirés. Pour vaincre sa peur et localiser le danger, il a besoin de les situer : si les voleurs ou les méchants sont là-bas, chez eux, ils ne peuvent pas être ici et le menacer. La question de Louis n'est donc pas aussi simple ni aussi naïve qu'elle en a l'air. Elle est probablement la marque d'une certaine anxiété et d'un besoin d'être rassuré.

Le besoin d'être rassuré perce même parfois à travers des questions qui, en apparence, concernent directement et uniquement des phénomènes physiques.

Autour de quoi elle tourne la Terre quand il n'y a pas de soleil ?

Émilie, six ans et demi

Cette enfant exprime sans doute, à son insu, une inquiétude quant à l'avenir. Auprès de qui vivrait-elle et que deviendrait-elle si ses parents, son père surtout[2], venaient à disparaître ? De la même façon, la question « Il finit où, le ciel ? », en même temps qu'une curiosité de type scientifique, peut traduire chez l'enfant qui l'a posée une certaine inquiétude quant à sa sécurité. Si le ciel se termine quelque part, que deviendra-t-on dans un univers où l'on risque de tomber ?

Et que dire de cette interrogation d'une petite fille qui, assise sur les genoux de son grand-père, lui demande : « Comment *ça* serait s'il n'y avait plus rien ? Même pas un grain de sable[3] ? » L'hypothèse de la disparition redoutée des êtres chers, et de ce grand-père en particulier, est présentée là par l'enfant comme un véritable cataclysme. En effet, elle resterait alors irrémédiablement seule.

La curiosité purement intellectuelle pour les phénomènes physiques vient assez tard dans l'enfance, pas avant les débuts de l'école primaire, bien souvent. Nous en voulons pour preuve ce récit de Jacqueline Harpman :

Je devais avoir sept ou huit ans, nous déjeunions sur la terrasse, c'était l'été, le soleil faisait briller les couverts sur la table [...]. J'étais plongée dans une étude attentive qui tout au long de mon enfance a souvent occupé ma pensée. Cela n'est possible que si l'argenterie est assez régulièrement frottée pour qu'on puisse s'y mirer [...] : sur une face des cuillères on se voit à l'endroit, sur l'autre à l'envers. Je cherchais à comprendre, je tournais la cuillère, je mettais le manche vers le haut, vers le bas, obstinément je restais à l'envers. J'aurais voulu maintenir la cuillère debout et me mettre la tête en bas : comment serais-je apparue ? Mais on ne peut pas faire cela à table et j'avoue que ma préoccupation scientifique ne me poursuivait jamais au-delà du repas, de sorte que je ne fis pas l'expérience[4].

Jacqueline Harpman

Ce n'est qu'en première année d'université, raconte l'auteur, lorsqu'elle découvre au cours de ses études le principe de physique expliquant le phénomène, qu'elle trouve la clé de l'énigme qui a accompagné sa jeunesse. Mais pourquoi, enfant, n'a-t-elle pas interrogé les adultes de son entourage ? Elle ne nous le dit pas. Certains enfants sont secrets ; ils aiment garder pour eux ce qu'ils considèrent comme des mystères. Ou peut-être n'y avait-il personne auprès d'elle qu'elle jugeait susceptible d'écouter ses questions et d'y répondre ? Ou peut-être encore, tout simplement, ne lui était-il pas venu à l'esprit que quelqu'un aurait pu avoir l'explication du phénomène ?

À la recherche d'un monde inconnu

« Mais pourquoi la nuit est-elle noire ? » « Pourquoi mon ombre elle me suit ? » « Comment elles font les mouches pour marcher au plafond ? » La curiosité des enfants pour les phénomènes physiques, auxquels l'adulte, la plupart du temps, ne fait plus attention mérite d'être prise en compte, et une réponse « scientifique » doit leur être donnée. Cela n'empêche pas de garder à l'esprit que la quête de l'enfant va souvent bien au-delà de la préoccupation qu'il exprime.

Ainsi, si un adulte demande « Pourquoi le ballon rebondit-il quand on le lance sur le sol ? », la réponse scientifique ou technique peut être formulée schématiquement comme suit : « Quand le ballon percute le sol, son enveloppe se déforme, et l'air qu'il contient se trouve comprimé. Élastique, l'air se détend rapidement, redonnant au ballon sa forme ronde et le propulsant vers le haut[5]. » Cette réponse, qui pourra intéresser et satisfaire un enfant assez grand, à partir de sept-huit ans, ou un adolescent, ne suffira peut-être pas à un enfant plus jeune, comme nous le montre ce souvenir de Gao Xinggjian : « Pourquoi, quand il tombe, ce ballon ne rebondit-il pas jusqu'ici ? », avait demandé l'auteur enfant penché à la fenêtre de sa chambre, à l'étage. « C'est une question de physique », avait répondu son oncle. « Qu'est-ce que c'est une question de physique ? », avait interrogé à nouveau l'enfant. « C'est de la théorie de base », avait rétorqué son oncle. Plus tard, sa mère lui avait acheté une collection de livres pour enfants, « Les cent mille pourquoi ». Il en avait lu chaque volume sans que cela lui laisse la moindre impression, et « ses doutes premiers à l'égard du monde étaient restés enfouis en lui[6] ».

Le monde du jeune enfant est fait d'un mélange de réalité et de magie. Le très jeune enfant vit dans la toute-puissance des premières années. Il demande par exemple : « Est-ce qu'un géant, il peut toucher le soleil ? » Bien qu'il sache qu'ils ne font pas partie du monde réel, les géants, qu'il n'a jamais rencontrés ailleurs que dans les contes ou dans les dessins animés, existent vraiment pour lui. L'enfant a en effet besoin d'un monde où, pour certains du moins, auxquels il pourrait s'identifier – ici les géants –, tout serait possible. Sans doute le petit garçon à sa fenêtre, qui se demandait pourquoi le ballon ne rebondissait pas jusqu'à lui, rêvait-il de ce monde-là !

« C'est vrai, il n'y a qu'un pas de la science au rêve », écrit un physicien, celui justement qui, enfant, s'était posé la question de savoir pourquoi il fait noir la nuit, question qui l'a mis sur la voie de la recherche scientifique[7]. L'imagination et le rêve précèdent la découverte, et il arrive souvent que les chercheurs soient poursuivis pendant toute leur vie par leurs questions d'enfants.

Le charme des illusions

Un garçonnet s'est demandé pendant toute son enfance :
« Pourquoi les arbres, ils montent pas jusqu'au ciel ? »
« Et au fond, pourquoi ils ne monteraient pas jusqu'au ciel ? »
s'est-il encore demandé beaucoup plus tard, devenu
un scientifique de renom.
Il s'est finalement mis en quête d'une explication objective qu'il a,
comme à regret, trouvée. Il a alors abandonné le mystère, qui est
aussi la magie de l'enfance. Il est en effet beaucoup plus magique
et plus poétique d'imaginer que les arbres peuvent croître
indéfiniment vers le ciel que de savoir qu'inéluctablement, à cause
de la force de gravité qui fait que la colonne d'eau montant dans
l'arbre devient à un moment donné trop lourde, l'arbre cessera
de grandir.

Par ailleurs, certaines questions, qui pourraient appeler une réponse scientifique, ont par leur formulation même un caractère affectif.

Il a une maman, le ver de terre ?

Alice, trois ans et demi

De la même façon qu'il a besoin de savoir comment il est venu au monde et où est sa place sur Terre, l'enfant veut savoir comment le petit ver a vu le jour. Cependant, il a également besoin de s'assurer que les petits, lui compris, et pourquoi pas les grands aussi, ont toujours leur maman auprès d'eux ; qu'ils ne sont en tout cas pas seuls au monde. Devoir s'occuper tout seul de soi est le « plus effrayant avertissement que puisse vous envoyer la nature », se rappelle un adulte, perdu, enfant, dans la tourmente d'une guerre[8]. Le fait d'avoir une mère et de la garder est le souci majeur de tout enfant. C'est cette préoccupation qui perce à travers la question de la fillette.

Ce qu'attend aussi implicitement l'enfant quand il interroge une grande personne, c'est qu'on lui permette d'accéder par la pensée à un univers grandiose et mystérieux qu'il pense exister quelque part. Nous venons de voir comment la réponse de son oncle, à qui il avait demandé pourquoi le ballon ne rebondissait pas plus haut, avait déçu l'enfant. Il attendait sans doute une réponse beaucoup plus en rapport avec l'immensité du monde et ses mystères. Mais il n'avait eu que l'explication pure et simple du phénomène physique correspondant.

C'est probablement encore dans l'attente de récits d'un monde lointain qu'un autre petit garçon, à propos d'un ballon gonflable qui vient de lui échapper des mains, demande :

Les ballons, quand ils s'envolent, ils vont où ? Ils rencontrent les nuages ? Et quand ils crèvent, sur la tête de qui ils tombent ? Est-ce que tu connais quelqu'un sur la tête de qui y en a un qui est tombé ?

Julien, cinq ans

Nous sommes de nouveau à la frontière du magique et du réel. « Et d'où vient le vent ? » demandait un autre enfant, espérant peut-être qu'on lui raconterait, comme dans les contes de fées, des histoires de pays fantastiques...

Le monde des jeunes enfants n'est pas celui, rationnel, des adultes. Le petit enfant prête une conscience aux choses. Aussi, pour lui, les sentiments sont toujours présents. Ses questions sont à l'image de celles du Petit Prince[9], qui demande à propos de sa rose : « Alors les épines, à quoi servent-elles ? » Il est inquiet et triste à la pensée que le mouton qu'il a dessiné puisse la manger : « Un mouton, s'il mange les arbustes, il mange aussi les fleurs ? » L'aviateur (Antoine de Saint-Exupéry), très occupé à réparer son moteur en panne, lui répond finalement : « N'importe quoi », lui signifiant que lui, il s'occupe de choses sérieuses. Cela met le Petit Prince très en colère. « Tu parles comme les grandes personnes ! s'écrie-t-il.

Et ce n'est pas sérieux de chercher à comprendre pourquoi [les roses] se donnent tant de mal pour se fabriquer des épines qui ne servent jamais à rien ? »

Saint-Exupéry raconte justement, en ouverture du livre, qu'à l'âge de six ans les « grandes personnes » lui avaient conseillé de laisser de côté les dessins de boas, qui pourtant le faisaient rêver et dans lesquels il excellait. Il aurait dû s'intéresser « plutôt à la géographie, à l'histoire, au calcul et à la grammaire ». « J'ai vécu seul, sans personne avec qui parler véritablement », écrit-il, jusqu'à cette panne dans le désert, prétexte du livre qui illustre si merveilleusement l'esprit d'enfance.

OÙ J'ÉTAIS QUAND J'ÉTAIS PAS NÉ ?

C'est un petit garçon qui parle :

Quand j'étais pas né, c'est mon grand frère Martin qui avait mon pyjama, le bleu avec des petits chiens. [...] Et moi, alors, je dormais tout nu ? Maman m'a expliqué que je ne pouvais pas être tout nu, puisque je n'étais pas là... Mais lorsque mon frère n'est pas là, il est habillé quand même ! Il ne va pas à l'école tout nu ! Mais si je n'étais pas là ; et si je n'étais pas ailleurs non plus, alors j'étais où ? [...] Maman m'a dit qu'avant d'être né j'étais une mignonne petite graine, toute minuscule, et que j'ai poussé dans son ventre. Mais avant d'être une graine, j'étais quoi ? Et puis les petites graines qui poussent dans le potager de Pépé n'ont pas de pyjama bleu avec des petits chiens [10] !

Jean-Claude Baudroux

À partir de trois ans environ, l'enfant peut se penser comme une personne individuelle. Il acquiert alors le plein sentiment de lui-même et commence à se poser des questions sur une éventuelle non-existence à la fois sous l'angle du commencement (« Où j'étais avant d'être né ? ») et de la fin (« Est-ce que cette vie que j'ai et que j'aime finira un jour ? »). Ces deux inconnues, l'avant et l'après, présentent le même mystère. Dans l'évidence en effet d'être au centre de l'univers, d'y avoir toujours été et d'y rester à jamais, le jeune enfant ne peut imaginer en devoir être ou en avoir été un jour absent. Cependant, pour lui, l'inconnu de l'avant semble beaucoup plus inquiétant que celui de l'après.

L'« avant » plus préoccupant que l'« après »

L'enfant, sans en avoir encore une notion abstraite précise, appréhende très jeune ce qu'est la mort à l'occasion des pertes et des séparations qu'il subit. Mais la mort en tant qu'événement le concernant personnellement lui paraît non seulement lointaine, mais surtout tout à fait improbable. Il est intrigué par ce mystère de l'après, mais il se sent peu impliqué. Les questions qu'il pose à ce sujet sont donc beaucoup plus factuelles, désintéressées, à moins bien sûr qu'il soit touché de près par la mort, ayant subi ou risquant de subir la perte d'un proche, ou étant lui-même gravement malade.

À trois ans on sait qu'on va mourir un jour. Ça n'a aucune importance : ce sera dans si longtemps que c'est comme si ça n'existait pas[11].

Amélie Nothomb

Le jeune enfant, en revanche, semble beaucoup plus concerné par la question de savoir où il était avant d'être né. Il ne peut en effet imaginer ne pas avoir été quelque part avant d'exister. L'idée qu'il aurait pu non seulement ne pas venir au monde, mais ne pas avoir d'existence avant de naître entraîne souvent chez lui une certaine inquiétude, voire de l'anxiété. Il faut dire qu'il n'est pas encore très éloigné de cet « avant ». En outre, sa personnalité, qui aura besoin pour se consolider au fil du temps de beaucoup de sécurité et d'amour, reste à ses débuts peu assurée.

L'insistance avec laquelle l'enfant cherche à éclaircir le mystère de cet avant se retrouve chez des penseurs adultes – poètes, écrivains, philosophes –, pour qui la quête de ce « jadis[12] » apparaît comme un enjeu essentiel dans leur réflexion sur la vie : recherche d'un monde d'avant la naissance, et même d'avant la conception, recherche du grand tout dont l'être humain ferait partie.

Dans le ventre de la maman, il y a la mer.

Dimitri, quatre ans et demi

Ce petit garçon illustre ici très joliment une telle vision cosmogonique de l'humanité.

D'où vient l'enfant ? [...] Avant de se former dans le sein de sa mère, n'avait-il pas une existence quelconque dans le sein impénétrable de la Divinité ? La parcelle de vie qui l'anime ne vient-elle pas du monde inconnu où elle doit retourner[13] ?

George Sand

L'écrivain Pascal Quignard parle de cet « inconnaissable engloutissement », qu'Irène Frain décrit ainsi : « [...] au fond de moi, dans le lac noir, au plus profond, des puissances têtues et obscures [14]. » De la même façon, Catherine Paysan, autre écrivain au plus proche de son enfance, évoquant son aversion pour la foule, écrit que « faire masse avec les autres » lui donne l'« impression de régresser jusqu'au seuil de [sa] préhistoire, de [son] originel néant [15] ».

Si la quête du monde de l'avant s'accompagne souvent d'inquiétude, voire d'effroi, celui-ci exerce malgré tout une grande attirance.

Depuis mon enfance, j'ai rêvé d'aller là, dans cet endroit où tout commençait, où tout finissait. Ils en parlaient, comme d'une cachette, comme d'un trésor [16].

Jean-Marie Gustave Le Clezio

Ce « jadis » mystérieux serait en fait un équivalent possible de l'éternité. Ce serait le paradis. « Le paradis terrestre est le jadis fait lieu. [...] L'Éden définit l'espace avant la sortie du corps de l'espace externe. C'est le temps avant l'espace [17]. »

Sally, cinq ans, demande : « Où est-ce que j'étais avant d'être née ? »

Sa mère lui répond : « Tu ne te souviens pas ? Je te l'ai déjà dit. »

Sally, irritée, réplique : « Oh non ! ce n'est pas ça que je veux dire. Je veux dire avant de pousser dans ton ventre.

— Eh bien, dit la mère mal à l'aise, tu étais un tout petit œuf.

— Mais non, pas ça ! Avant d'être un tout petit, petit œuf ?

— Eh bien... tu étais... eh bien, tu n'étais rien. »

Sally est horrifiée : « Comment est-ce que je pouvais être rien [18] ? »

I. Frain se souvient. Un jour, elle avait demandé à sa mère : « Alors, comment j'étais quand j'avais zéro an ? »

La fillette aurait bien aimé que sa mère lui raconte comment c'était à l'époque où elle était venue au monde, car elle n'en avait aucun souvenir. Cela aurait voulu dire que sa mère connaissait « les secrets du noir » et qu'elle allait enfin savoir. Mais sa mère, prise au dépourvu, avait seulement répondu : « À zéro an, tu avais un mois et même moins : un jour [...]. » Pour la fillette d'alors, ce vide qu'on lui annonçait en lieu et place d'elle-même avait été cause d'un grand désarroi.

Zéro an. « Accablement, écrasement. Zéro, le chiffre qui compte pour du beurre ? Je cherche refuge auprès de ma mère. Ça s'peut pas, j'ai jamais eu cet âge-là ! » Et la fillette s'était obstinée : « Oui, mais avant ? – Avant, tu étais au ciel. »

Je sors au jardin, je regarde au-dessus de moi. Le ciel [...]. Bleu vide, sans fond. Au lieu d'un toit, le ciel est devenu un gouffre qui va m'aspirer. [...] Souvent, la nuit, maintenant, pendant que je dors, je tombe dans le ciel qui veut m'avaler [19].

Irène Frain

L'« avant » semblable à la mort ?

Pour le jeune enfant, l'état d'avant la naissance et celui d'après la mort seraient semblables. Françoise Dolto, la célèbre psychanalyste, se souvenant des fantasmes de son enfance, raconte que, pour elle, « ne pas avoir de corps encore, ou ne plus en avoir [...], ça devait être un peu pareil ». Dans une sorte d'antichambre de la vie se côtoieraient les anciens et les futurs vivants, c'est-à-dire « tous ceux qu'on attend, qui vont naître [20] ». Colette Fellous décrit la rêverie un peu semblable d'une jeune fille de dix-sept ans qui imagine ses parents jeunes mariés dans une salle de cinéma : « Je regarde, je ne trouve aucun mot encore, je suis un enfant qui n'est pas encore né. Je peux voir, mais je ne sais pas parler. Je suis comme les morts [21]. »
Sylvie, trois ans et demi, assiste à une discussion entre ses deux sœurs aînées qui ont six et dix ans ; cette discussion porte justement sur la question de savoir où l'on est avant d'être né. Après un court silence, la fillette, qui jusque-là n'avait dit mot, s'adresse à l'une de ses sœurs, celle qui avait posé la question, et déclare d'un air entendu : « Quand t'étais pas née, t'étais morte ! »
Une autre fillette de quatre ans a demandé à sa mère : « Dis, maman, avant d'être dans ton ventre, est-ce que j'étais morte ? »

Sans doute cela aurait-il aidé l'enfant qu'on lui parlât des lignées d'ancêtres qui l'avaient précédée et dont elle portait en elle la trace, et qu'on lui dît qu'elle avait été attendue et aimée bien avant d'être née.

Le jeune enfant a du mal à accepter de n'avoir aucune mémoire des choses vues et des événements vécus alors qu'il était trop jeune pour en garder le souvenir. Ce passé manquant, équivalent de la mort, d'une certaine façon, s'étend au passé des proches. En effet, pour un jeune enfant, il est presque impossible, et en tout cas très dérangeant, d'imaginer que ceux qu'il aime aient pu vivre avant sa propre naissance, sans lui.

« Avant, j'étais bien plus tranquille, avant quand tu étais mort ! » C'est ce qu'avait lancé la grande sœur âgée de cinq ans à l'intrus, son jeune frère, né dix-sept mois après elle. Anne Bragance, évoquant ces mois d'avant son frère, qu'elle avait vécus « alors qu'il errait dans les limbes », parle du « quand tu étais mort dévastateur ». Son frère, quand il entendait ces mots, « se mettait à blêmir, à trembler et parfois même à pleurer », d'autant plus que sa sœur ne pouvait s'empêcher d'évoquer devant lui des événements qui s'étaient produits avant ou peu après sa naissance et auxquels il était, par conséquent, étranger. L'auteur parle d'ailleurs de cette période comme d'une « mort antérieure [22] ».

Justifier son existence

« D'où viennent les enfants ? » « Comment on fait les bébés ? » « Comment sortent les bébés ? »... Nombre de ces questions, même si elles sont la marque d'une vraie curiosité, ont essentiellement pour origine l'inquiétude des jeunes enfants quant à leur insertion personnelle dans le monde. Les enfants ont instinctivement besoin de vérifier la solidité de leurs racines – en fait, la solidité de leur être encore vacillant. Ils ont besoin qu'on leur confirme que le monde n'aurait jamais pu exister sans eux. Leur présence sur terre est une évidence.

Katie, six ans, demande : « Maman, est-ce que des mamans et des papas peuvent essayer d'avoir un bébé et ne pas l'avoir ? – Oui, répond sa mère. – Chic ! On a de la chance, dans la famille ! Chaque fois que papa et toi vous avez essayé, on a eu un bébé [23] ! »

Et si vous ne m'aviez pas fait, où est-ce que je serais ?

Joseph, six ans et demi

Dis maman, quand j'étais dans ton ventre, comment tu savais que je m'appelais Hyacinthe ?

Hyacinthe, cinq ans et demi

Et le héros du roman *Pluie*, se remémorant son enfance, s'étonne :

> Qui étais-je pour m'imaginer que mes parents auraient pu ne pas m'avoir s'ils l'avaient voulu[24] ?
>
> Kirsty Gunn

Il était évidemment persuadé, enfant, que ses parents l'avaient voulu, lui.

L'inquiétude, voire l'anxiété, qui transparaît dans ces questions rejoint celle des enfants qui imaginent que si leurs parents ne s'étaient pas connus, ils n'auraient pu voir le jour. Ainsi ce petit garçon à qui sa sœur aînée vient de raconter que leurs parents se sont rencontrés fortuitement dans un train. Elle avait conclu que si leurs parents n'avaient pas fait ce voyage, ils n'auraient pas fait connaissance, et eux, les enfants, n'auraient jamais existé. Après avoir écouté cette déclaration, le jeune frère reste perplexe, « dans son présent éternel », écrit Anne Bragance[25]. Antinomie extrême donc entre cette possible non-existence suggérée par la sœur et le sentiment qu'a tout jeune enfant d'être éternel.

Il arrive d'ailleurs que cette angoisse, que l'on peut compter parmi les « premières angoisses métaphysiques », perdure au-delà de l'enfance. C'est le cas de cet homme cité par Roger Perron dans *La Passion des origines*[26] : bien qu'ayant un âge avancé, il se souvient de son effroi, à l'âge de huit ou dix ans, lorsque son père racontait comment il avait réussi de justesse à ne pas être envoyé au front lors de la Première Guerre mondiale. Il aurait très probablement été tué. Au lieu de cela, il avait été versé dans l'intendance « en Orient ». C'est là qu'il avait rencontré sa mère. Si son père n'avait pas survécu, se disait-il alors avec angoisse, il n'aurait pas existé lui-même.

Aucun enfant n'est indifférent aux récits de ses premiers moments de vie et de ses origines, à ces multiples bribes d'information sur une préhistoire qu'il reçoit comme un puzzle peu compréhensible la plupart du temps et qu'il lui faudra beaucoup de temps pour réaménager en un ensemble un peu cohérent[27].

A. de Mijolla

Or, s'il est difficile pour un enfant de ne pas avoir de mémoire du temps où il était trop petit pour se souvenir (c'est d'ailleurs pour cela qu'il aime tant qu'on lui raconte des histoires de quand il était petit), il est encore plus difficile pour lui de penser le temps d'avant sa venue au monde : comment étaient les siens et que faisaient-ils à cette époque-là ? Il a en particulier du mal à imaginer qu'ils aient pu être différents de ce qu'ils sont maintenant.

Ainsi en est-il de ce jeune garçon qui assiste à une conversation à table entre des adultes échangeant des souvenirs à propos de la dernière guerre, de la débâcle, de l'exode, de leurs équipées à vélo. Il reste songeur :

> Est-ce que tout cela avait vraiment existé ? Concernant les temps plus anciens je ne rencontrais aucune difficulté, écrit-il plus tard. J'y croyais. S'agissant de Clovis par exemple, je n'avais aucun doute. Mais que des proches, des gens que je connaissais bien, vinssent à sortir des mêmes vastes archives, voilà qui n'allait pas tout seul [...] [28].
>
> Alain Gillis

Ce sentiment d'étrangeté lié au fait de n'avoir pas été là pour voir ceux qui sont les plus proches de nous et dont nous sommes issus, alors qu'ils existaient déjà, peut persister bien au-delà de l'enfance. C'est ce que nous montre l'écrivain et psychanalyste J.-B. Pontalis quand, énumérant ses vœux non exaucés à l'âge adulte, il cite : « Avoir connu ma mère petite fille en train de jouer en riant avec son frère » et « Avoir connu mon père en jeune homme furtivement indocile [29] ».

Les questions des jeunes enfants sur leur propre origine peuvent aussi prendre la forme d'interrogations sur l'origine de l'homme en général. Alma passe en autobus devant le bâtiment de l'École militaire, à Paris. Elle entend l'annonce du prochain arrêt : « École militaire ». Elle est en grande section de maternelle, et l'école tient une grande place dans sa vie. Elle tend donc l'oreille. « Qu'est-ce que c'est que cette école ? » demande-t-elle à sa grand-mère qui l'accompagne. Cette dernière lui explique qu'il s'agit d'une école où des professeurs apprennent à des jeunes gens le métier de militaire.

« Alors les élèves de cette école, ils ont des maîtres, et ces maîtres, quand ils étaient des élèves pour devenir des maîtres, ils avaient des maîtres ?

— Oui. »

Et ainsi de suite. Alma termine son raisonnement par cette question : « Et le premier homme, comment il a fait pour apprendre la guerre s'il avait pas de professeur ? » La fillette a à son tour, sans le savoir, formulé l'énigme bien connue de la poule et de l'œuf : « Qui, de la poule ou de l'œuf, est venu en premier ? » Si c'est la poule, il y a forcément eu un œuf avant. Et si c'est l'œuf, comment aurait-il pu être là si la poule ne l'avait pondu ?

De la même façon, un petit garçon demande, d'une manière très subtile :

Est-ce que le premier homme et la première femme avaient un nombril ?

Marc, cinq ans

On venait probablement de lui expliquer le pourquoi de l'existence du nombril, point du corps où se rattache le cordon ombilical, qui avait servi à nourrir le fœtus pendant qu'il était dans le ventre de sa mère, et qui le reliait encore à celle-ci au moment de sa naissance. (Les enfants sont très souvent intrigués par la présence du nombril.)

Si le premier homme et la première femme avaient un nombril, c'est qu'ils avaient une maman. Ils n'auraient donc pas été les premiers êtres humains sur la Terre. Et s'ils n'en avaient pas, comment auraient-ils été fabriqués ?

Cette question n'aura peut-être plus cours lorsque naîtront, grâce à l'ectogenèse (procréation à l'extérieur du corps humain), des enfants sans ombilic, comme les scientifiques nous l'annoncent... Mais d'ici là, les enfants, faisons-leur confiance, auront inventé d'autres questions sur leur origine tant cette recherche leur tient à cœur !

Savoir d'où l'on est sorti et à quoi l'on était rattaché, c'est éclaircir un peu le mystère de ce qui était avant la connaissance de soi et, surtout, s'assurer de ses attaches à la vie. À travers curiosité et inquiétude, la vraie question de l'enfant ne serait-elle pas finalement : « Est-ce que j'avais bien une place sur Terre avant de naître ? », « Est-ce qu'on m'a vraiment désiré ? », « Est-ce qu'on m'aime maintenant ? », et, le cas échéant : « Est-ce qu'on m'aime plus que mes frères et sœurs, ceux qui existent et ceux qui restent à naître ? »

Le petit garçon qui cherchait à savoir à qui appartenaient, avant sa naissance, son pyjama bleu avec des petits chiens et ses jouets, a continué à s'interroger : « Quand j'étais pas né, est-ce que papa pensait à moi ? » « Est-ce qu'il jouait au tracteur avec moi ? » « Est-ce qu'il me racontait des histoires ? » « Et les petits chevaux qui tournent avec la musique, au-dessus de mon lit, ils endormaient qui, quand j'étais pas là ? » Désir d'un amour exclusif de la part des parents, sentiments de jalousie peu clairs à l'égard des rivaux, même potentiels, se mêlent sans doute ici au besoin naturel de savoir, toujours intense chez l'enfant.

Toutes ces questions que pose l'enfant à partir de trois ou quatre ans sur son origine et sur l'univers qui l'entoure montrent qu'il cherche à se situer par rapport à son environnement. Il sait qu'il est. Reste pour lui à savoir quelle place il occupe et qui il est. C'est sans doute pourquoi il pose des questions telles que : « Comment est-ce que j'ai été construit ? » ou « Pourquoi mon papa, c'est mon papa et pas un autre ? » Pourquoi alors, tout en faisant appel, pour lui répondre, à la biologie et à la génétique, ne pas entendre sa demande affective et lui montrer qu'il a vraiment été désiré, choisi même, et qu'il est aimé tel qu'il est ?

OÙ JE SERAI QUAND JE SERAI MORT ?

Le jeune enfant se vit comme immortel. Même s'il parle de la mort, il ne peut imaginer que sa vie aura un jour un terme.

L'enfant immortel

Une fillette s'interroge à propos des maîtresses mortes dans le tsunami qui a ravagé l'Asie du Sud-Est :

Comment ils feront maintenant les enfants, sans maîtresse ?

Clémence, cinq ans

Il ne lui est pas venu à l'idée que, malheureusement, beaucoup d'enfants aussi sont morts dans la catastrophe, et que, de ce fait, on aura besoin de moins de maîtresses. Percevant le halo d'anxiété qui entoure cette question, son interlocuteur a cherché à rassurer l'enfant en lui disant que de jeunes maîtresses seront bientôt formées. Elles viendront rapidement remplacer les maîtresses disparues. Mais il a également fait remarquer à la fillette qu'il y aura moins de classes à pourvoir en raison des enfants manquants. Cette réponse ne l'a pas vraiment satisfaite. Elle a en effet semblé hésiter à propos du nombre d'enfants restant dans les écoles. L'idée d'une diminution de ce nombre à cause du cataclysme a visiblement du mal à faire son chemin. Que des maîtresses meurent, cela paraît possible, bien que cela soit regrettable car des enfants vont pâtir de leur disparition. En revanche, que des enfants comme elle meurent n'est pas imaginable : un enfant ne peut pas disparaître. C'est un événement qui ne peut pas lui arriver, et qui donc ne peut arriver à d'autres enfants, même si elle sait que cela existe.

Parlant du docteur, un petit garçon demande ainsi :

Est-ce qu'il sait aussi soigner les morts ?

Martin, quatre ans

Avant sept-huit ans, si l'enfant n'a pas fait personnellement l'expérience de la maladie grave ou de la perte d'un proche, la mort reste pour lui un accident lointain, le plus souvent entouré de mystère. Il y a bien sûr le mystère de la mort elle-même, mais aussi le silence que les adultes font autour d'elle. Nous parlons là de la vraie mort, pas de celle que l'on voit dans les dessins animés ou les films de science-fiction, où elle est plutôt traitée comme un non-événement. Chez les Pokémon, Digimon et autres héros enfantins, par exemple, elle s'apparente à une désintégration ou à une disparition sans reste. À la télévision ou à la radio, elle est mise à distance par le fait même du média.

En revanche, lorsqu'il s'agit d'un événement proche, les parents ne parlent de la mort qu'à voix basse, et surtout pas devant les enfants. C'est avant tout le mystère qu'ils en font qui rend ces derniers curieux. Au début, peu d'affects sont attachés à leurs questions. Celles qu'ils posent dès l'âge de trois ans sont factuelles, le plus souvent dénuées d'émotion, en apparence du moins. La mort n'est pour eux qu'une péripétie de la vie parmi d'autres. Les questions sont directes. Elles semblent même parfois très crues :

Dis, papi, tu vas bientôt mourir ?

Maryse, quatre ans et demi

Dis maman, elle est toujours fatiguée mamie ! Elle va bientôt mourir ?

Louis, cinq ans

Il y a aussi cette question de Paul à son père à propos d'un vieux monsieur qui a du mal à monter dans l'autobus : « Il va bientôt mourir celui-là ? » Ou encore cette question d'une petite fille à sa grand-mère, qui a l'air très fatiguée après avoir monté les escaliers avec elle : « Est-ce que ça fait peur de mourir ? » Pas du tout choquée, la grand-mère répond qu'elle a beaucoup plus peur d'être malade que de mourir.

Quand il évoque la vieillesse et la mort, l'enfant ne porte aucun jugement de valeur. Il ne semble pas non plus éprouver de tristesse, de dégoût ou de commisération à l'égard de ceux qu'elles touchent. Il ne fait qu'observer d'un œil objectif les caractères propres à ces deux états. Pour lui, ils sont inéluctablement liés : quand on est vieux on meurt, et on meurt parce qu'on est vieux. Avant six-sept ans, les enfants n'ont en général pas de réaction affective à l'idée de la mort, à moins bien sûr d'être ou d'avoir été touchés de près par un deuil ou par la maladie.

Par ailleurs, en général, pour l'enfant de moins de cinq ans, la mort n'est pas véritablement la fin de la vie, naissance et mort se situant à l'intérieur d'un même cycle. « Il n'existe ni véritable début, ni fin, mais comme un mouvement perpétuel, qui, de la naissance à la mort et de la mort à la naissance, balance sans cesse [30]. » La vie adulte ne serait alors qu'une étape pour permettre à d'autres enfants de naître.

C'est ainsi que l'on retrouve fréquemment chez les jeunes enfants l'idée selon laquelle, lorsque l'on est très vieux, on rapetisse jusqu'à devenir, ou redevenir, un petit enfant.

Dis, grand-mère, quand tu seras petite, on pourra jouer ensemble ?

Amélie, trois ans

Partant de la même idée, mais en sens inverse, tandis que la conversation générale porte, à table, sur une maison pour personnes âgées voisine, une fillette de cinq ans demande à sa mère : « Dis, maman, quand tu étais vieille, est-ce que tu habitais dans cette maison ? » Un peu plus âgé, commençant donc à mieux comprendre le déroulement des cycles de la vie, un autre enfant demande à sa grand-mère : « Dis, mamie, tu as été petite toi aussi ? »

L'idée de redevenir petit quand on a grandi convient bien à certains enfants. Ainsi en est-il de ce garçon de quatre ans et demi qui, regardant sa petite sœur âgée de quelques mois, dont on s'occupe beaucoup à la maison, interroge ses parents : « Quand on est vieux, est-ce qu'on redevient petit ? » Quand on lui demande pourquoi il pose cette question, il répond : « Moi, je ne me souviens pas de quand j'étais comme elle, et j'aimerais bien m'en souvenir ! » Il faut préciser à ce propos qu'il peut arriver à un enfant de penser sérieusement qu'il est vieux. Et cela lorsqu'il franchit certaines étapes de sa vie d'enfant : l'entrée à la grande école, ou le jour où il a un petit frère ou une petite sœur, par exemple.

Les manifestations matérielles de la mort

En fait, dans ses questions sur la mort, l'enfant cherche d'abord à savoir non pas ce qu'est la mort, mais ce qu'est un mort. Ainsi en est-il d'une fillette qui regarde par terre une mouche que sa mère vient de tuer :

Qu'est-ce que c'est d'être mort ? Qu'est-ce que ça fait d'être mort ? Est-ce qu'elle sait qu'elle est morte, la mouche ?

Alma, cinq ans

L'idée de la nourriture étant importante chez les enfants, ils demandent souvent : « Est-ce qu'on peut manger quand on est mort ? » « Comment ils mangent, les morts ? » Ils interrogent encore : « Est-ce qu'ils peuvent respirer ? » « Est-ce qu'ils peuvent nous voir ? »

Dans le ciel, il est assis ou il est couché, grand-père ? Est-ce qu'il a déjeuné ?

Solène, six ans

Le grand-père de Solène était mort en fin de matinée.
Les jeunes enfants pensent à la mort comme à un état de sommeil. « Chut ! dit Victor, trois ans et demi, en entrant dans le cimetière avec sa mère pour aller sur la tombe de son grand-père. Ils se reposent ! »
Les questions posées par les jeunes enfants concernent pour la plupart la matérialité de la mort et les rites funéraires : les cercueils, les tombes, les enterrements, les cimetières. Ils veulent savoir où vont les personnes disparues, quand est-ce qu'on meurt. À cette dernière question, Françoise Dolto conseillait de répondre que l'on meurt quand on a fini de vivre.
La curiosité naturelle pour les aspects matériels de la mort se retrouve chez des enfants plus âgés, qui savent pourtant ce qu'elle représente. Alors qu'elle traverse en voiture avec sa famille une réserve d'oiseaux, une « presque jeune fille » demande :

> **Et ces flamands roses, quand ils meurent, comment on les débarrasse ?**
>
> Élise, treize ans

Les jeunes enfants sont intrigués par le processus de la mort, et c'est avec un œil froid et objectif que certains essaient d'en observer les effets. Ainsi cette jeune femme qui raconte avoir, à treize ans, conservé dans des sacs en plastique des oiseaux morts afin de suivre leur transformation en squelettes[31]. Ou cet enfant qui garde dans un tiroir une souris morte pour voir ce qu'elle deviendra. Une curiosité analogue pousse parfois un enfant à démanteler un insecte. Il le fait avec passion et avec la plus grande attention, essayant de comprendre ce qu'est être vivant et être mort.

Pour la même raison, on a pu voir des enfants éventrer leur poupée pour voir ce qu'il y avait dedans, comme à la recherche de l'origine de la vie cachée là, à l'intérieur. C'est peut-être également dans ce but que l'enfant surnommé « Tête brûlée » a fracassé son beau voilier sur un rocher pour voir comment c'était fait dedans[32]. Cette curiosité est la même que celle qui a pour objet les bébés dans le ventre maternel.

À ce stade, l'enfant reste essentiellement réaliste, faisant preuve dans son esprit d'observation d'une maturité surprenante, ce qui ne veut pas dire qu'il n'éprouve pas en même temps tristesse et regret. Un petit garçon montrant la tombe de son grand-père récemment inhumé a lancé à sa grand-mère, à l'occasion d'une visite au cimetière :

En tout cas, pépère, il est bien tranquille maintenant !

Nicolas, trois ans

Par ces paroles, il faisait certainement allusion au fait que, du vivant de son grand-père, ses grands-parents se disputaient souvent.

Les questions pratiques concernant la mort arrivent un peu plus tard. « Pourquoi on meurt ? » demande la jeune Amélie Nothomb à sa gouvernante japonaise, qui lui raconte souvent les bombardements.

Parce que Dieu le veut, répond celle-ci. [...] C'est normal de mourir quand on est vieux. [L'enfant vient de perdre sa grand-mère.]

— Pourquoi ?

— Quand on a beaucoup vécu, on est fatigué [...].

— Et mourir quand on n'est pas vieux ?

— Ça, je ne sais pas pourquoi, reconnaît la gouvernante, incapable bien entendu, arrivée à ce point, de trouver une réponse [33].

Amélie Nothomb

Commentant sa démarche, l'auteur écrit : « La mort, je savais ce que c'était. Cela ne me suffisait pas à la comprendre. » Ce en quoi, d'ailleurs, elle ne différait pas de la majorité des êtres humains.

Pour le jeune enfant, la mort est toujours due à un accident. Elle est toujours violente. D'ailleurs, on ne meurt pas : on est tué. Attendant donc qu'on lui indique la personne ou l'agent responsable, l'enfant demande : « Qu'est-ce qui fait qu'on meurt ? » « Pourquoi les gens meurent ? »

Marie, sept ans, s'est jointe à un groupe d'enfants plus âgés (en classe de 5e) qui ont décidé de jouer au cours de philosophie (certains d'entre eux en suivent). Les participants doivent écrire un texte sur le thème de la mort. Marie rédige alors une histoire où l'héroïne est victime d'un terrible accident dans une fête foraine. Elle en sort avec un bras dans le plâtre et quelques points de suture, au moins vingt... « J'ai eu très peur », écrit Marie en conclusion de son histoire. Telle est sa description de la mort...

Pour le jeune enfant, la mort n'est pas définitive. C'est ce dont se souvient George Sand dans ses Mémoires[34] quand elle évoque la mort de son père. Elle était très jeune alors. « J'avais pourtant compris la mort, remarque-t-elle, mais je ne la croyais pas éternelle. » En effet, pour réconforter sa mère plongée dans un profond chagrin, elle avait suggéré : « Mais quand mon papa aura fini d'être mort, il reviendra bien te voir ? » Surprise, quelques jours après cette mort, de voir toute la maison en deuil, et effrayée par les bas noirs qu'on voulait lui faire porter – ce sont des jambes de mort, disait-elle –, elle avait demandé : « Mon papa est donc encore mort aujourd'hui ? »

Une enseignante de petite section de maternelle venait d'apprendre à ses élèves que les plantes ne poussent, entre autres, que si on pense à bien les arroser. Chloé, petite fille de trois ans, ne semble pas d'accord. Interrogée, elle explique alors que, tous les dimanches, elle va voir sa grand-mère au cimetière du village. Sa maman arrose les fleurs sur la tombe. Pourtant, sa mamie, elle ne repousse pas !

Peu à peu cependant, l'enfant commence à comprendre que la mort est irréversible. Vers cinq-six ans, il demande : « Quand on est mort, c'est pour la vie ? » « Quand on meurt, on reste mort pendant combien de temps ? »

Est-ce que quand on est mort, on est mort pendant longtemps ?

Jeanne, six ans

« Oui, pour toujours, répond la grand-mère de Jeanne. C'est pour cela que l'on est si triste lorsque l'on perd quelqu'un que l'on aime. C'est parce que l'on sait qu'on ne le reverra plus jamais. — Mais, moi, ce sera dans longtemps ! Et toi ?, reprend Jeanne. — Moi, non ! Ce ne sera pas dans longtemps », dit la grand-mère. Cette réponse semble convenir à l'enfant. Elle correspond en effet bien à l'ordre des choses. Avec le même réalisme, un petit garçon demande à son grand-père :

Toi, un jour, tu n'existeras plus ?

Luc, quatre ans et demi

Le grand-père, que l'intervention de son petit-fils semble avoir touché au vif, répond sur-le-champ : « Oui. Mais toi aussi, dans très très longtemps, tu n'existeras plus non plus. » Cet échange nous montre combien les allers et retours entre l'enfant et l'adulte sur ces sujets sont chargés de sens et d'affects. Ils sont du reste souvent plus fréquents entre enfants et grands-parents. Dans ce cas, en effet, la distance d'âge est plus grande, et les grands-parents sont plus près de la fin de leur vie que les parents. Enfin, l'inquiétude des enfants quant à la disparition de leurs grands-parents est en général moins importante qu'en ce qui concerne celle de leurs parents. Ils osent donc plus de questions à ce propos.

Quand l'enfant est concerné par la mort

En grandissant, l'enfant se rend compte que non seulement tous les êtres vivants sont destinés à mourir, mais que lui aussi, un jour, il mourra. Il pose alors la question : « Dis, un jour, moi aussi je mourirai ? » Ou, comme cet enfant qui vient de voir un squelette dans un musée qu'il visite avec sa mère :

Moi aussi je serai en squelette quand je serai mouru ?
Alexandre, six ans et demi

Lorsqu'il comprend enfin que la mort est universelle, l'enfant est parfois envahi par un réel sentiment de tristesse.

Moi, je trouve que c'est triste, la mort, parce que, des fois, on meurt avant d'être usé.

Il arrive même que l'enfant éprouve un sentiment de révolte. « Moi, je ne veux pas être mort ! » s'est écrié un petit garçon quand il a découvert la réalité de son destin d'être humain voué à une fin inéluctable.

De la même façon que certains enfants s'interrogent sur l'origine du premier homme (voir « Où j'étais quand j'étais pas né ? », p. 32), d'autres, souvent à partir de huit ans, âge du cours élémentaire, se posent des questions sur les derniers survivants de la planète. Ainsi cet enfant qui réfléchissait tout haut :

Un jour tout le monde mourra. Il n'y aura plus personne sur la Terre, et je me demande bien qui va enterrer le dernier.

Sous des préoccupations à l'aspect tout à fait réaliste et pratique pointent ainsi des interrogations profondes, de type métaphysique, sur la création de l'homme et sur la fin du monde.

Par ailleurs, parler des morts et de la mort conduit souvent à parler de l'au-delà, c'est-à-dire du ciel et de Dieu. Les enfants demandent ce que deviennent les morts. Et même s'ils n'en parlent pas spontanément, on leur dit souvent, lorsqu'il s'agit d'annoncer un décès, par exemple, que les personnes (ou même les animaux) qui meurent vont au ciel. On cherche de la sorte à adoucir la réalité. En outre, cette formulation permet un raccourci plus facile. Pour les jeunes enfants cependant, qui ont une conception purement réaliste des choses, le ciel n'est pas une métaphore. C'est essentiellement un lieu physique. Dans le ciel, on peut voisiner avec les personnes aimées disparues :

S'il est au ciel grand-père, on va peut-être se rencontrer ?

Gaspard, sept ans et demi

« Si tu ne crois pas en Dieu, dans une vie après la mort, comment nous reverrons-nous quand nous serons morts ? Nous ne pourrons pas nous parler dans le cimetière ! » lance le jeune héros du film de Marco Bellocchio, *Le Sourire de ma mère*, à son père qui vient de lui dire qu'il ne croit pas en Dieu. Mais, au ciel, on peut aussi côtoyer le père Noël. C'est pourquoi Jennifer demande si, au ciel, elle pourra jouer avec les jouets du père Noël. Jeanne, elle, a demandé au père Noël un hélicoptère sans portes, pour le cas où, rencontrant dans le ciel son chien adoré qui est mort, elle pourrait le faire monter à bord et l'avoir de nouveau auprès d'elle.

De là à craindre des collisions dans le ciel ! C'est le cas d'une petite fille dont la très jeune sœur vient de mourir. On lui a dit que sa sœur est montée au ciel. Depuis, elle est en permanence dans l'inquiétude. Elle craint en effet que son papa, qui pour son travail survole la région en avion, heurte sa cadette par accident. Pour l'enfant, qui a toujours besoin de situer concrètement les choses, Dieu est localisé physiquement dans le ciel, et les questions le concernant ont au début un caractère essentiellement pratique : « Comment Dieu, puisqu'il voit chacun individuellement, peut-il voir tout le monde en même temps ? » demande le petit garçon du film cité ci-dessus, qui a reçu une instruction religieuse assez poussée.

Pour ce qui est des enfants directement confrontés à la perte d'un être cher, les questions ont le plus souvent une dimension supplémentaire. Elles ne sont pas seulement motivées par la curiosité naturelle des enfants avides de découvrir les phénomènes de la vie. Elles sont aussi sous-tendues par l'émotion, le chagrin, le désir de se rapprocher des personnes disparues. Ces enfants ont un énorme besoin d'écoute et de tendresse. Ils cherchent à avoir des précisions et des explications. Il ne faut pas hésiter à les leur donner, même si cela fait mal de remuer des souvenirs douloureux ou d'évoquer des détails auxquels on aimerait éviter de penser (voir « Comment répondre ? », p. 241). Ces enfants ont doublement besoin qu'on leur réponde, car si leurs questions étaient rejetées, ils se sentiraient eux-mêmes rejetés, et, qui plus est, avec leur peine.

La peur de rester seul sur Terre

D'une façon générale, quand il pose des questions sur la mort, comme sur tout autre sujet d'ailleurs, c'est toujours de lui que l'enfant parle, c'est à lui qu'elles se réfèrent. Le sens véritable de ses questions est alors : « Si tu meurs ou s'ils meurent, je serai seul. Qu'est-ce que je deviendrai ? Qui s'occupera de moi ? » Cette préoccupation est même quelquefois exprimée de façon tout à fait explicite. S'étant réveillée en pleurant la nuit, une petite fille a déclaré à sa mère en la serrant dans ses bras : « Je ne veux pas que tu meures. Je veux mourir en même temps que toi ! » Une autre fillette a très peur chaque fois qu'elle prend l'avion. Sa crainte, dit-elle, est de se retrouver toute seule si l'avion tombe. Pourquoi ? Parce que ses parents mourront dans le crash (même si, il faut le souligner, ses parents ne sont pas avec elle dans l'avion)... Cette fillette ne peut penser qu'à une éventuelle mort de ses parents, pas à la sienne. Un enfant, nous le savons, a du mal à penser à sa propre mort. Mais il est vrai aussi que c'est la disparition des siens qu'il craint le plus, et toute mort autre peut lui faire penser à la mort de ses parents. Le fait de rester seul, abandonné des siens, pour un jeune enfant, est un équivalent de la mort.

Mais si tu mourais, toi, et maman aussi, on resterait tout seuls, nous ?

Lucie et Émile, cinq et six ans

Ces enfants viennent de perdre leur grand-père. Cette mort leur a fait penser que leurs parents pourraient aussi disparaître.

Max et Lili, dont le chien vient de mourir, disent : « J'ai peur. Papa va mourir. Et maman aussi [35] ! » Louis, cinq ans et demi, s'adressant à son père, qui vient de perdre son propre père, demande : « Est-ce que quand je serai papa, vous serez encore là ? »

Le souci de la fillette qui se demandait, plus haut, ce que deviendraient sans maîtresse les enfants victimes du tsunami était sans doute du même type. Elle se demandait certainement, au moins implicitement, ce qu'il adviendrait de ces enfants s'ils n'avaient plus personne pour les instruire, s'ils étaient livrés à eux-mêmes sans personne pour s'occuper d'eux. Un enfant ne peut subsister seul. Avoir des adultes auprès de lui est un besoin vital. Cette enfant devait imaginer dans quel état de détresse elle se serait elle-même trouvée si elle avait été laissée seule, sans maîtresse, mais aussi surtout sans adulte responsable pour veiller sur elle.

Beaucoup de questions d'enfants sur la mort sont sous-tendues par le besoin d'être rassuré quant au fait que les parents (ou du moins leurs substituts) seront toujours là pour prendre soin d'eux et les aimer. Cette préoccupation majeure doit toujours être présente à l'esprit des parents lorsqu'ils cherchent une réponse aux questions de l'enfant.

C'est plutôt entre quatre et six ans que l'enfant, prenant conscience de l'écoulement du temps, s'interroge sur la mort et devient plus vulnérable. Il sent en effet de mieux en mieux à quel point il dépend de ses parents et quelle catastrophe ce serait pour lui de les perdre. C'est pourquoi il est toujours bon de lui expliquer que si ses parents venaient à disparaître, en aucun cas il ne resterait seul. D'autres personnes (parrains, marraines, oncles, tantes, etc.) qui l'aiment, ou à la rigueur une institution, prendraient soin de lui.

L'ESPACE ET LE TEMPS

2

D'OÙ ÇA VIENT ? OÙ ÇA VA ?

« Dis, papa, d'où il vient le vent ? » Cette question qui revient tout au long d'un sketch de l'humoriste Michel Boujenah est bien du type de celles que, dès l'âge de cinq ans, posent les enfants, curieux du monde qui les entoure. Le psychologue Jean Piaget cite lui-même toute une série de questions comme celle-là, relatives à la météorologie, recueillies chez de jeunes enfants[1] : « Pourquoi la pluie tombe ? D'où elle vient ? » (un enfant de cinq ans) ; « Qu'est-ce que le brouillard ? Qui est-ce qui l'a fait ? » (un enfant de six ans) ; « D'où vient la neige ? », « Qu'est-ce qui fait tonner et fait les éclairs ? » (un enfant de sept ans).

Ces questions vont à peu près toutes dans le même sens : « D'où ça vient ? » « Qui est-ce qui l'a fabriqué ou construit ? Et pour quoi faire ? » Les adultes interrogés, souvent pris de court, éprouvent d'autant plus de difficultés pour répondre que la cause de certains des phénomènes qui provoquent la curiosité des enfants leur est inconnue. Telle cette question d'un enfant de six ans évoquée elle aussi par Jean Piaget : « Pourquoi le lac de Genève ne va pas jusqu'à Berne ? » (Nous sommes en Suisse.) Le père de Michel Boujenah ne répondait d'ailleurs pas à la question de son fils sur l'origine du vent, malgré son insistance...

Le sens des choses

Pour bien comprendre le pourquoi de ce type de question, il faut savoir que, pour le jeune enfant, il n'y a pas de hasard dans la nature. Rien n'est fortuit : derrière chaque chose, chaque action, chaque événement existe une volonté. « Tout est fait pour les hommes et les enfants, selon un plan établi et sage dont l'être humain constitue le centre » (Jean Piaget). Le jeune enfant, dont la pensée est empreinte de ce finalisme, recherche une raison pour chaque chose ou chaque événement. La caractéristique du vent est qu'il souffle. Et s'il souffle, c'est qu'il le veut. Le vent veut souffler et il sait qu'il souffle. Il est en effet doté d'une intentionnalité qui le pousse vers un but. Il a par ailleurs été créé, comme toute chose, par la main de l'homme ou par une activité divine œuvrant à la manière de la fabrication humaine. C'est ce mode de pensée que l'on nomme artificialisme. Nous avons déjà pu constater cette façon de raisonner chez Jeanne, dans le chapitre « Dis, pourquoi ? » (voir p. 22). Pour elle, la Terre avait été construite comme les objets fabriqués par son papa, c'est-à-dire de main d'homme. En outre, comme souvent chez les enfants de cet âge, Jeanne avait pensé l'ordre du monde à l'image de ses parents et de ce qui se passait dans sa famille.

Une nature humanisée

Le jeune enfant, par ailleurs, est animiste. Il a tendance à concevoir les choses comme vivantes et douées d'intentions. « Est vivant au début tout objet qui exerce une activité, celle-ci étant essentiellement relative à l'utilité pour l'homme : la lampe qui brûle, le fourneau qui chauffe, la lune qui éclaire. Puis la vie est réservée aux mobiles et enfin aux corps paraissant se mouvoir d'eux-mêmes comme les astres et le vent[2]. » L'eau qui coule ou une pierre qui roule sont également vivantes. Puisque, pour l'enfant, tout ce qui bouge est vivant, il est naturel que le vent, comme dans certains contes, puisse « parler et conduire le héros là où il veut aller[3] ».

Lorsqu'il cherche à répondre aux grandes questions qu'il se pose, le jeune enfant, qui n'a pas encore la faculté d'abstraction, le fait sur la base d'une pensée animiste. Les contes de fées répondent parfaitement à ce besoin de fantastique, qu'il ne faut pas réprimer, bien au contraire. Dans les contes de fées, comme plus tard dans certains récits pour pré-adolescents (telle la série des « Harry Potter »), les objets inanimés et les éléments de la nature sont dotés de caractères humains et de pouvoirs magiques.

Le conte d'Andersen appelé *Le vent raconte l'histoire de Valdemar Daae et de ses filles*[4] nous en offre une illustration : le vent, qui « connaît plus de contes et d'histoires que nous tous réunis », parle. Sifflant dans la cheminée, il raconte : « C'était justement un soir de premier mai. Je venais de l'ouest et j'avais vu des bateaux venir se briser contre la côte du Jutland de l'Ouest, je parcourus la lande et la côte aux vertes forêts [...]. Je me reposai sur la côte de la Seeland, près du manoir de Borreby [...]. » C'est là qu'habitent les gens « riches » et « distingués » dont il va narrer l'histoire.

L'enfant étant aussi naturellement égocentrique – il conçoit le monde à son image, vivant comme lui et ayant les mêmes réactions que lui –, le vent pense de la même manière que lui, à la façon d'un être humain. L'enfant sait pourtant très bien que le vent n'est pas un homme, mais il l'imagine malgré tout doté des mêmes facultés. Dans le film de Federico Fellini *La Dolce Vita*, une toute petite fille apparaît en pyjama dans le salon de ses parents un soir de réception et demande, faisant l'admiration de tous : « Qui est la maman du Soleil ? » Elle pense bien sûr (ou espère) que le Soleil a, comme elle, une maman dont il est issu. Le jeune enfant qui demande « D'où vient le vent ? » cherche, lui, à savoir non seulement quel est l'être merveilleux qui fabrique le vent, mais aussi quelle est la volonté qui le pousse à souffler. Ce n'est que plus tard, lorsqu'il aura grandi, vers sept-huit ans, qu'il recherchera une réponse « scientifique ». Avant, il lui paraît logique de penser que, comme il a été lui-même créé par ses parents, tous les êtres humains, ainsi que le cadre naturel dans lequel ils vivent, ont été créés par des personnages surhumains, peu différents en réalité de ses parents.

Rappelons à ce sujet que, pour le jeune enfant, les parents sont tout-puissants. Tout vient d'eux, et il leur est redevable de tout ce qu'il reçoit, ce qui est bon comme ce qui est mauvais. Un jeune père avait emmené son petit garçon admirer un coucher de soleil. Lorsque le spectacle fut terminé, le jeune garçon se tourna vers son père et lui dit, enthousiaste : « Merci, papa ! » De la même façon, un autre garçonnet, qui, lorsqu'il était en voiture avec ses parents, adorait passer dans des tunnels, s'écria, un jour où ils en avaient traversé quatre ou cinq d'affilée : « Merci, papa, maman ! »

Trouver sa place

Les questions sur les phénomènes naturels sont plus profondes qu'il y paraît. Lorsqu'il se pose et pose des questions à leur sujet, l'enfant s'interroge indirectement sur sa propre identité. Les éléments de la nature sont vivants, comme lui. Chercher à connaître leur origine, leur fonctionnement, leur nature, c'est aussi, inconsciemment, se renseigner sur soi-même : « Qui je suis ? » « D'où je viens ? » Puisque, pour l'enfant, tout se ramène à lui, vouloir percer le mystère du monde environnant, c'est aussi essayer de rassembler des éléments de connaissance sur lui-même.

Par ailleurs, ces questions si vastes, notamment celles qui portent sur les éléments naturels, le jeune enfant ne se les pose pas dans l'abstrait. Elles le concernent personnellement et pratiquement, dans la mesure où il est à la recherche de sécurité. Ce monde dans lequel il est immergé est en effet plein d'inconnues, et l'on sait bien que ne pas connaître ce à quoi l'on va être confronté peut être inquiétant, voire menaçant.

La réponse dans la question

Pour répondre à un enfant de façon adaptée, le plus simple, si l'on veut savoir où il en est dans sa façon de raisonner par rapport au monde, est de lui retourner sa question. On peut lui demander, par exemple, ce qu'il pense du problème évoqué. S'il a déjà une idée et peut la formuler, il sera plus facile de situer le stade d'évolution de ses théories sur le monde. Rien n'empêchera alors, si l'on s'aperçoit qu'il n'est pas encore à même de s'intéresser à une réponse scientifique, de lui donner une réponse objective simple, sans critiquer ses constructions personnelles. Il en a besoin pour le moment, afin de trouver sa place dans le monde dans lequel il vit. Toutefois, on saura alors que, même s'il l'a entendue, cette réponse « scientifique » lui restera en fait étrangère, tout du moins pour le moment. Les explications objectives que lui auront données les adultes perturberont peu ses propres idées en la matière. Elles susciteront parfois quelques doutes, que l'enfant, s'il est en confiance, exprimera. Peut-être pas tout de suite, mais au bout d'un certain temps, lorsque l'occasion se présentera. Il faudra alors bien sûr reprendre le sujet avec lui et lui donner de nouveau des explications.

Il se demande qui ou quoi le plonge dans l'adversité et cherche à savoir ce qui pourrait le protéger. Existe-t-il des puissances tutélaires en dehors de ses parents[5] ?

Bruno Bettelheim

C'est ainsi que ces questions *a priori* non personnelles sont souvent teintées d'anxiété.

Il n'en est pas de même pour des questions du genre : « D'où vient la laine ? » « D'où vient le lait ? » « D'où vient le miel ? » En général posées par les adultes dans un but éducatif, elles n'ont pas l'impact émotionnel qu'ont les questions des enfants à propos des éléments de la nature. Signifiant « D'où tire-t-on telle ou telle matière ? » elles n'ont d'ailleurs pas le même sens. Il faut dire que le mouvement, caractéristique, pour les questions concernant le lieu d'origine, du vent qui souffle, des nuages qui avancent, de la pluie qui tombe, de l'eau qui court, de la mer qui bouge, rend ces éléments vivants et leur donne une place particulière. Puisqu'ils se déplacent, ces éléments existaient forcément quelque part avant d'arriver ici, et quand on ne les voit plus, on peut se dire qu'ils sont allés dans un autre endroit. Comme dans une sorte de cycle, ils ont existé avant et ils existeront après. C'est cet avant et cet après qui intriguent les enfants. Où sont ces ailleurs ?

Irène Frain rappelle sa perplexité teintée d'anxiété, lorsqu'elle était enfant, devant le mystère que représentait l'eau d'un puits dans le jardin de ses parents :

Pourquoi cette eau cachée au fond de la terre [...]. D'où vient-elle, qu'est-ce qu'elle cherche, où va-t-elle[6] ?

Irène Frain

De la même manière que les enfants sont en quête de leur origine et de leur fin (« Où j'étais quand j'étais pas né ? », « Où je serai quand je serai mort ? »), ils sont à la recherche de l'origine et de la fin de toute chose. Ils font en effet partie d'un tout. Et ce tout, ils ne peuvent imaginer qu'il n'ait, comme eux, toujours existé ; qu'il ne continue pas non plus à toujours exister.

Concilier absence et existence

En ce qui concerne les choses, et surtout les éléments de la nature, il semble qu'avant de chercher à en connaître l'origine, les tout jeunes enfants s'intéressent au devenir de ce qu'ils voient disparaître. Ainsi, dans un livre qui s'adresse avec une grande justesse de ton à de très jeunes enfants, *Où va l'eau*, Lili a soif. Maman dit : « Prends le verre d'eau vert, Lili. » Et l'histoire se termine ainsi :

Où va l'eau du bol à pois ? Dans le pot de Lili quand Lili fait pipi[7].

Jeanne Ashbe

Chercher à savoir où vont les choses que l'on voit disparaître constitue, il faut le souligner, un véritable progrès dans le développement intellectuel du jeune enfant. En général, c'est seulement à partir de la fin de sa première année qu'il devient peu à peu capable d'imaginer que les personnes ou les objets qu'il ne voit plus continuent d'exister. Pour l'enfant de moins de un an en effet, les objets ou les personnes n'ont pas d'existence individuelle propre. Ils font partie intégrante du cadre dans lequel il les perçoit, et ils évoluent avec lui. Le nourrisson « reconnaît certains tableaux sensoriels familiers [...], mais le fait de les reconnaître lorsqu'ils sont présents n'équivaut nullement à les situer quelque part lorsqu'ils sont en dehors du champ perceptif [8] ».

Ainsi, quand, devant un bébé de quelques mois, on cache sous un mouchoir un jouet qu'il avait jusque-là suivi des yeux, il semble s'en désintéresser. Il ne cherche pas du tout l'objet caché. Quelque temps plus tard, il le cherchera, mais sans tenir compte du trajet que l'on a fait suivre au jouet. Enfin, plus tard encore, il ira le chercher sous le mouchoir. Il aura alors acquis la notion de la permanence de l'objet. Il saura en effet qu'un objet ou une personne continuent d'exister même s'il ne les voit plus.

L'acquisition de la notion de la permanence des objets et des personnes contribue à la construction d'un univers extérieur. Jusque-là, le très jeune enfant ne faisait pas – ou peu – de différence entre le monde environnant et lui-même. Désormais, les « objets » (ce terme incluant les personnes) forment des entités extérieures séparées. Mais comme celles-ci, en tant qu'objets individuels, solides et permanents, peuvent échapper à la vue, une certaine angoisse liée à l'idée de leur disparition risque de naître. Ces objets n'ont pas pu disparaître totalement. Alors, où ont-ils bien pu aller ?

Ariane, petite fille de quatre ans, constate que le bouton de moustique qu'elle avait sur le visage les jours précédents n'est plus là. « Mais où il est allé ? » demande-t-elle, inquiète, à sa mère.

Mais où ils vont les poux, quand ils ne sont plus sur ma tête ?

Marianne, trois ans et demi

Des enfants ont demandé : « Où va la lumière quand on l'éteint ? » « Où ils sont partis les trous du gruyère quand on l'a mangé ? » « Où il part mon poing quand j'ouvre la main ? » Et même : « Qu'est-ce qu'ils deviennent les mots quand on s'en sert pas ? » Les choses que l'on a vues, entendues, touchées existaient bien puisqu'on les a vues, entendues ou touchées. Elles existent forcément toujours. Si on ne les voit plus, elles sont forcément parties quelque part !

Les questions du type « Où ça va ? » renvoient par ailleurs, cela est certain, même si ce n'est que de façon indirecte, aux fonctions du corps et de la vie : « Où va la nourriture que l'on absorbe ? » ; mais aussi : « Comment se font les bébés ? » Puisqu'ils sortent du ventre de la mère, il faut bien qu'au départ celle-ci ait mangé quelque chose de spécial. De fait, les enfants pensent souvent que la « petite graine » a été introduite dans la mère par la bouche.

Outre le désir de savoir où vont finir les choses, l'enfant cherche à découvrir le mystère de leur voyage secret, cela sans doute en relation avec tout ce qui pourrait se passer à l'intérieur de la mère, ainsi qu'entre les deux parents. Si le trajet caché des éléments qui disparaissent de la vue entraîne une forte curiosité chez les enfants, il suscite en même temps chez eux une appréhension certaine. Cette appréhension procède pour une part de la crainte d'un retour à l'indissociation primitive, au temps où, nourrisson, l'enfant ne faisait qu'un avec son environnement. Ainsi pour l'interrogation devant l'eau du puits évoquée un peu plus haut, profonde et sombre. D'où aussi la peur qu'ont un certain nombre d'enfants de disparaître avec l'eau du bain, peur qui remonte parfois au moment de la naissance, lorsque l'enfant s'est trouvé expulsé du ventre de la mère, peut-être un peu brutalement, avec le liquide amniotique. L'enfant peut également craindre, après avoir vu disparaître le contenu des toilettes, d'être aspiré de la même façon. Se demander « où ça va », c'est aussi, confusément, se demander où l'on va quand on est mort. C'est encore exprimer indirectement la crainte de ne plus voir revenir ce que l'on ne voit plus, la peur de perdre quelqu'un ou quelque chose.

Une petite fille de trois ans jetait les bijoux de sa mère dans les toilettes, puis elle actionnait la chasse d'eau. Évidemment, cela ne pouvait durer ! Quelques séances de psychothérapie permirent de comprendre comment un sourd conflit avec sa mère avait conduit l'enfant à faire disparaître les attributs précieux de la première dans ce monde précieux lui aussi, mais opaque, caché et moins brillant, constitué sans doute inconsciemment, pour la fillette, à l'instar du corps de la mère, par l'intérieur des toilettes.

Chercher l'origine des choses, comprendre leur existence

Les questions concernant non plus la provenance des choses dans l'espace, liée au mouvement, mais leur origine viennent plus tard.

Qui est-ce qui a bien pu inventer les graines de framboise ?

Estelle, dix ans

Il ne s'agit plus maintenant, dans la pensée de l'enfant, de choses fabriquées de main d'homme, comme c'était le cas dans la réponse de Jeanne (voir « Dis, pourquoi ? », p. 22), mais de choses inventées, c'est-à-dire sorties de la tête d'un être supérieur.

Ce type d'interrogation indique que le raisonnement de l'enfant plus âgé se détache de l'action immédiate (à savoir : une chose n'existe que parce qu'elle a été fabriquée par quelqu'un) au profit d'opérations intériorisées et abstraites. La réalité commence à être structurée par la raison. Par ailleurs, la question d'Estelle montre que la fillette connaît l'existence des graines et leur fonction dans la reproduction des plantes et des êtres vivants. Cela signifie qu'elle a déjà une bonne expérience du réel.

Ces questions plus tardives sur l'origine des choses sous-tendent des interrogations sur l'existence d'un créateur. Il faut bien en effet que tout ce qui existe ait été créé par un être tout-puissant et souverainement bon ! Les enfants plus jeunes, avant six-sept ans, sont tout prêts à croire en l'existence d'un ou de plusieurs dieux, suivant les cultures, mais pour des raisons affectives. « Mon Dieu, je vous donne mon cœur [...]. Je comprenais cela plus que le reste, car il y a beaucoup de métaphysique dans ce peu de paroles [...] », écrit George Sand, relatant son enfance[9].

Comme pour certains adultes, le problème pour l'enfant reste l'absence de signes tangibles de Dieu, ou des dieux. « Pourquoi il dit rien, Dieu ? » demande un petit garçon[10]. Le jeune enfant ne peut en effet imaginer Dieu que comme un personnage ayant les mêmes attributs que lui, une présence physique ouvrant la possibilité d'avoir avec lui des relations de type humain.

Pour finir, chercher à savoir d'où ça vient et où ça va, comme chercher à connaître le créateur de toute chose, c'est aussi désirer voir l'envers des choses, voir ce qui est caché. Ce désir peut aller jusqu'à chercher à connaître... ce qui n'existe pas. Arthur avait peur des sorcières, des fantômes, des revenants. Il en avait entendu parler et les avait vus à la télévision. Sa mère, pour le rassurer, lui dit : « Tu sais, les sorcières, les fantômes, les revenants, ça n'existe pas ! » Ce à quoi Arthur répond : « Et alors où sont les choses qui n'existent pas ? »

En fait, pour ce petit garçon de cinq ans, ce qui n'existe pas, c'est ce que l'on ne peut voir nulle part et qui n'a pas de nom. Or ces choses qu'on lui dit ne pas exister ont un nom. Elles doivent donc bien être quelque part. Du moment qu'on peut les nommer, en parler, les représenter, il est impossible qu'elles ne soient pas présentes en quelque lieu. Plus tard, d'ailleurs, Arthur avait demandé : « Et puis qu'est-ce que ça veut dire exister ? », ce qui montre qu'entre-temps il avait progressé dans sa conception de la réalité.

Irène Frain raconte une histoire un peu semblable du temps de son enfance. En effet, un jour, en « fouaillant » dans la terre du jardin, elle trouve un morceau de faïence. Il est décoré d'une fleur bleue.

Cette fleur, je ne peux pas la cueillir ni arracher ses pétales. Elle est gelée dans la faïence. Elle n'a pas d'épaisseur, pas d'odeur. Pourtant cette fleur est une fleur. Simplement, elle n'est pas vraie. Mais on doit pouvoir en trouver puisqu'on l'a dessinée [11].

Irène Frain

Elle va alors voir sa mère. « C'est une rose bleue, dit celle-ci, ça n'existe pas. » La fillette insiste. « Laisse donc, tu vas te couper », lui dit sa mère. « Je veux bien, mais qu'elle me dise où je peux voir des roses bleues », pense l'enfant, s'obstinant dans sa quête. La réponse est la même : « Ça n'existe pas. » Et le dialogue se poursuit :

« Alors, pourquoi cette image sur l'assiette ?

— Ça n'est rien qu'une image. Une rose bleue, c'est impossible. On peut dessiner des choses impossibles.

— Comment on fait ?

— On les invente.

— Alors, pourquoi elles sont impossibles ?

— Elles sont impossibles, c'est comme ça. »

Ainsi – nous le verrons p. 126 (« Pourquoi ça s'appelle comme ça ? ») –, l'image comme le mot peuvent prendre chez le jeune enfant la place de la chose elle-même. Il existe des images de sorcières, de fantômes, de revenants, comme des dessins de roses bleues. Donc ces sorcières, ces fantômes, ces revenants, ces roses bleues, qui ont un nom et peuvent être représentés, existent quelque part. Il en va un peu de même pour les monstres que Paul avait vus dans ses cauchemars. Ce garçonnet affirmait que, puisqu'il les avait vus, ils devaient bien être quelque part.

En ce qui concerne Arthur, il faut souligner la perception très fine qu'il avait eue de la façon peu rigoureuse dont les adultes qualifient les choses. En effet, « rien » n'est pas rien ; rien n'est pas le vide, le blanc total. L'absence complète ne peut être évoquée ni même imaginée. Et le petit enfant qui demande sans cesse « C'est quoi ça ? », en montrant les choses qui l'entourent, ne peut pas comprendre ce qu'on veut lui dire quand on lui affirme que ce n'est rien. S'il en était capable et parlait comme un philosophe reconnu, il pourrait demander pourquoi certains objets qu'il voit n'ont pas de nom, et à l'inverse pourquoi certaines choses en ont un alors qu'elles n'ont pas d'existence. Il en va ainsi pour les trous (on parle même des « trous noirs » qui, en fait, ne sont pas des trous, mais des « pleins ») ou les ombres.

On trouve une jolie illustration de cette idée dans un roman très original, *La Théorie des nuages* [12]. Les nuages ont toujours existé. De tout temps, ils ont été scrutés, admirés, aimés. Mais ils n'avaient pas de noms qui auraient permis de les différencier. Il a fallu attendre le début du XIXe siècle pour qu'un quaker anglais du nom de Luke Howard leur en donne. À partir de là, les nuages se sont appelés cumulus, stratus, cirrus, nimbus, et ont acquis une identité propre.

C'EST QUAND DEMAIN ?

Demander « D'où ça vient ? », « Où ça va ? » implique d'avoir déjà la notion d'un passage, l'intuition d'un avant et d'un après. C'est donc commencer à avoir la notion du temps qui passe, c'est-à-dire du temps tout court. Le nourrisson, nous l'avons vu, ne va pas à la recherche d'un jouet disparu. Dès lors qu'il ne fait plus partie de son champ perceptif, le jouet n'existe plus. Il n'y a pas de continuité entre le moment où il l'a vu et celui où il ne le voit plus, encore moins avec le temps où il ne le voyait pas encore. La scène sans jouet n'a aucun rapport pour lui avec la scène dans laquelle le jouet est présent. Le temps n'existe pas. Le nourrisson est totalement dans le moment présent. C'est seulement quand il acquiert la « croyance selon laquelle une figure perçue correspond à "quelque chose" qui continue d'exister même quand on ne le perçoit plus [13] » que l'enfant commence à avoir la notion du temps.

Disparition des choses, apparition du temps

L'enfant prend conscience de la notion de temps grâce à l'expérience qu'il fait de la séparation : quelqu'un ou quelque chose s'en va ou disparaît ; quelqu'un ou quelque chose vous manque, mais pourra revenir, qu'il s'agisse d'un retour spontané ou provoqué, réel ou imaginaire. C'est ainsi que les expériences de séparation et, plus tard, l'idée de la mort contribueront à déterminer l'acquisition de la notion du temps qui s'écoule.

J'avais fait la première expérience d'une séparation, et je commençais à avoir la notion du temps[14].

George Sand

Elle avait alors six ans.

Maintenant que Youki [le chien] est mort, voilà ce qui fait le jour, la nuit. J'ai noué la peur au temps, je sais que les choses finissent autant qu'elles commencent[15].

Irène Frain

« Les fleurs du pêcher sont fanées, note-t-elle également, se rappelant ses impressions d'enfance. Dans le monde il y a donc un avant et un après. » Les jeunes enfants demandent souvent, quand ils savent ou sentent qu'un départ se prépare : « C'est quand tu partiras ? » « C'est quand tu reviendras ? » Il faut bien sûr leur répondre avec précision et les aider à compter les heures ou les jours qui les séparent du départ ou du retour projetés. Cette précaution leur permet de maîtriser l'anxiété attachée à la séparation. Les chiffres sont alors comme un talisman qui reste en leur possession pendant l'attente. Il en va aussi de leur confiance dans les adultes.

Pour le nourrisson, le temps ne « coule » pas. Il est immobile. Il le restera encore en partie, pendant des années, l'enfant n'ayant la totale compréhension de l'ordre dans lequel se déroule le temps que vers sept-huit ans. Pour l'adulte, c'est souvent cela, l'enfance : une vie dans laquelle le temps est absent, un lieu sans incidence d'événements. C'est en effet la succession des événements, petits et grands, qui contribue à donner la sensation de l'écoulement du temps. Les événements de la vie servent à se repérer dans le passé et, sous forme de projets, à imaginer le futur. Comme un fil conducteur, ils permettent de remonter dans le temps mais aussi de s'y projeter.

C'était l'île d'été, c'était l'île d'enfance. Le temps ne passait pas. Il faisait beau. Les gestes chauds se ressemblaient, et le bonheur, de vacances en vacances, dans les rites de la moisson[16].

Philippe Delerm

Plutôt que de découvrir des lieux et des gestes nouveaux, les enfants préfèrent redécouvrir les lieux et les gestes qu'ils connaissent déjà. De la même façon qu'ils demandent toujours les mêmes histoires, à tel point qu'ils finissent par les connaître presque par cœur, ils aiment à retrouver d'une fois sur l'autre les mêmes choses à la même place. Une petite fille d'un an s'extasie en découvrant l'identique. Une assiette de haricots verts est placée devant elle pour son déjeuner. Chaque fois qu'elle en saisit un pour le porter à sa bouche, elle s'exclame avec jubilation : « Même ! »
Bien qu'ils s'y adaptent rapidement, les très jeunes enfants n'aiment pas les changements. Jusqu'à deux ans, ils les remarquent

peu, ne se souvenant pas de l'année précédente. À quatre ans, ils en ont conscience, mais, comme ils se rappellent l'année passée (nous prenons encore l'exemple des vacances), ils ne sont pas anxieux. Ils sont même contents de mettre leurs pas dans ceux de l'année précédente. En revanche, à trois ans, comme l'écrit Amélie Nothomb, « l'anxiété est absolue : on remarque tout et on ne comprend rien [17] ». À cet âge, l'enfant a besoin de se construire un système explicatif pour se sécuriser et s'y retrouver. Il a également besoin de quelques points fixes dans sa vie qui lui servent de repères, ne serait-ce qu'un doudou qu'il emporte avec lui.

Alors que l'adulte, pris dans le quotidien, oublie qu'il vit, séparé mentalement qu'il est des choses et des gens, le petit enfant reste en communion avec la création. Il fait corps avec elle, et le moment présent n'a pas de fin pour lui. C'est pourquoi, par exemple, les joies et les chagrins ont, à cette époque de la vie, une si grande intensité. Les artistes essaient de retrouver cet état d'immersion dans l'univers, celui du tout petit enfant qu'ils étaient. Là réside toute la richesse de leur création.

Appréhender la durée

Les Grecs avaient deux mots pour définir le temps : *chronos*, le temps social (heures, jours, semaines), temps des activités au sein de la société, comme le travail, et *kaïros*, le temps intérieur, que nous dirions subjectif ou affectif, qui est propre à chacun.

Tout le monde sait que le temps peut paraître plus ou moins long selon notre état du moment, qu'il peut passer plus ou moins vite selon nos occupations ou nos attentes. L'enfant vit essentiellement avec ce temps-là, et plus il est jeune, plus le temps lui paraît long. Pour un enfant de quatre ans, la journée est une éternité. Et même pour un enfant un peu plus âgé, deux ou trois années peuvent équivaloir à la durée d'une vie.

Il y a chez l'enfant un aplatissement du temps qui rend l'estimation de la durée improbable. Il faut dire aussi que certains mots exprimant la durée ne signifient pas grand-chose objectivement. Ainsi en est-il, par exemple, des adverbes « bientôt », « toujours », « jamais ». « Dis, maman, bientôt c'est dans combien de temps ? » interroge un enfant dans une publicité. Il attend en effet que le gâteau au chocolat exprès de la marque en question soit prêt. Toutefois, des indications de durée précises – si la mère répondait : « Dans cinq ou dix minutes » – ne renseigneraient pas mieux l'enfant. « C'est dans dix jours ! » a-t-on répondu à une fillette qui, devant voyager prochainement, voudrait savoir dans combien de temps elle prendra l'avion. « Dans dix jours, c'est dans longtemps ? », a-t-elle demandé aussitôt. Pour elle, en effet, deux, cinq ou dix jours, cela n'est pas très différent.

Un jour, le grand-père de la même fillette, Alma, âgée de cinq ans, raconte la fin de la Seconde Guerre mondiale. Sur une carte, il montre à ses petits-enfants les plages de la Méditerranée sur lesquelles les soldats américains devaient débarquer en 1945. Mais, dit-il, ils ont finalement choisi un autre emplacement et ont débarqué à C... « Alors, ils sont allés voir ma marraine ! Et ils se sont baignés dans sa piscine ? » s'exclame aussitôt Alma, provoquant par sa remarque le rire de ses sœurs plus âgées. Il se trouve en effet, on l'a compris, que la marraine d'Alma habite actuellement une maison dans la ville de C... La fillette a effectué sans s'en rendre compte un raccourci dans le temps, mettant sur le même plan des faits survenus soixante ans plus tôt et l'époque actuelle.

Juliette, huit ans, visite avec son école les écuries d'un château célèbre. Elle demande au guide accompagnant le groupe si les chevaux qui sont dans leur stalle sont les mêmes que ceux qui étaient là au temps de Louis XIV. Le désarroi de la fillette est grand devant la stupéfaction, voire l'incrédulité, des adultes présents. Personne, y compris les adultes qui côtoient quotidiennement des enfants, n'a pensé sur le moment qu'à huit ans la chronologie peut ne pas être une notion bien acquise. Ce n'est pas une question de savoir, mais d'étape de développement non encore atteinte.

Se situer dans le temps

Outre la durée, qu'ils ont du mal à appréhender, les jeunes enfants éprouvent beaucoup de difficulté pour se situer dans le temps.

On est le matin ou l'après-midi ?

Jojo, quatre ans

Pour aider à réfléchir ce jeune héros du film *Être et avoir*, le maître demande : « Est-ce qu'on a déjà mangé ? – Non ! – Alors, on est le matin ! » conclut le maître. Et Jojo d'ajouter, sans doute pour montrer qu'il a compris : « Ce matin, on est allé à l'école. »

Le jeune enfant se repère en effet plus à l'aide de notations pratiques concernant sa vie de tous les jours que grâce aux indications temporelles qu'on lui donne. Le matin, par exemple, c'est quand il se lève, fait sa toilette, prend son petit déjeuner et va à l'école s'il s'agit d'un jour de classe. Dire à l'enfant que le matin, c'est quand le Soleil se lève lui parlerait peu, de même que si on lui demandait, pour se repérer, d'observer la place du Soleil dans le ciel. C'est un fait, les enfants ne prêtent guère attention aux phénomènes courants de la nature : les arbres en fleurs, les espèces différentes de plantes et de fleurs, et même le temps qu'il fait, sauf, par exemple, si la pluie les empêche de jouer dehors. C'est pourquoi il est très difficile, entre autres, de les intéresser au jardinage, si ce n'est pour les amuser pendant un très court temps.

Midi, c'est quand on déjeune à la cantine ou à la maison et qu'on repart ensuite à l'école. Le soir, c'est quand on est rentré de l'école, que l'on a fait ses devoirs ou qu'on a joué dans sa chambre, que l'on a pris son bain, dîné, que papa ou maman ont lu une histoire et que l'on va dormir. Pour expliquer à un très jeune enfant un nombre de jours qui restent à courir, plutôt que de lui donner un chiffre, trop abstrait pour lui, mieux vaut lui dire combien de fois il doit encore dormir, ou combien de fois il doit encore aller en classe jusqu'à la date attendue. Là encore, le jeune enfant, dans son égocentrisme naturel, ne peut s'intéresser qu'à ce qui le touche concrètement, personnellement et dans l'immédiat.

L'indication des saisons, cependant, est plus parlante pour lui que celle des mois, des jours, des heures, des minutes. Très tôt, il sait que l'hiver, c'est quand il fait froid ou qu'on fait des bonshommes de neige ; l'automne, c'est quand les feuilles tombent ; l'été, c'est quand on part en vacances et que l'on va se baigner ; le printemps, c'est quand les fleurs éclosent. L'estimation de la durée des saisons reste très vague, en revanche, comme celle de toutes les durées, de même que la connaissance de leur succession. Pour l'enfant, les saisons représentent un état de l'environnement extérieur plus qu'une étape dans le temps.

De la même façon, dans les « Quand je serai grand (ou grande) », les enfants évoquent souvent plus des souhaits pour une amélioration du présent que des projets pour l'avenir. C'est un peu comme s'ils avaient une revanche à prendre sur ce qui leur manque en tant qu'enfants ou sur ce qu'ils ont à subir de la part des adultes. « Le "Quand je serai grande", écrit Françoise Dolto racontant son enfance, c'est tout ce qu'on trouve curieux dans ce que font les grandes personnes et qu'on se dit qu'on ne le fera pas comme elles [18]. » Inutile de dire que ces bonnes résolutions se perdent le plus souvent en chemin, faute d'avoir été notées et conservées avant l'âge adulte...

En fait, le jeune enfant ne peut se projeter dans l'avenir. Ce sont les adultes qui le font pour lui. Ils prennent soin de son éducation, de sa formation, de sa santé, faisant tout pour qu'il devienne un adulte responsable. Quand ils s'occupent de lui ou pensent à lui, ce but sous-tend toujours leurs pensées et leurs actions, même s'il n'est pas toujours conscient. Que ses éducateurs voient dans l'enfant un être en devenir est très important pour son épanouissement. Il aura en effet le sentiment que l'on croit en son avenir, et cela le fortifiera dans ses efforts pour devenir « grand ».

Lorsqu'il s'imagine dans le futur, l'enfant se voit tel qu'il est maintenant, bien qu'avec des attributs différents et, surtout, supérieurs. Au cours d'une enquête menée auprès de jeunes enfants pour savoir comment ils se voient quand ils seront grands, voici ce qu'a répondu un petit garçon [19] :

Je veux me marier avec Aline, elle est dans ma classe [...]. Mais de toute façon, après, je retournerai dormir chez ma maman, parce qu'elle s'occupe mieux de moi et qu'elle sait toujours où est mon doudou. J'aurai des garçons parce que je préfère jouer avec des voitures plutôt qu'avec des poupées, évidemment.

Paul, quatre ans

En fait, Paul se voit marié, ayant des enfants, mais en même temps vivant comme le petit garçon qu'il est pour l'instant. C'est un peu comme s'il avait maintenant le statut de ses parents en se mariant et en ayant des enfants tout de suite, mais en restant un petit garçon.

Curieusement, à la suite d'un traumatisme, l'adulte, comme le petit enfant, peut se trouver incapable de se repérer dans le temps. Ce phénomène a été bien décrit par un rescapé de l'attentat du 11 septembre 2001 à New York. Cet homme raconte avoir perdu la notion du temps après le drame. Sa perception en était complètement altérée. Il ne savait plus quel jour on était, si c'était le matin ou le soir, et quelle était la saison. Plusieurs mois après, il lui arrive encore de s'interroger sur la date du jour présent.

Mon premier réflexe vise à rechercher la saison [...]. Comme mon ancêtre des cavernes, je vérifie l'état du ciel et la température, puis l'idée du temps revient, d'abord le mois, enfin le jour[20].

Bruno Dellinger

Hier, aujourd'hui, demain ; avant, maintenant, après ; scansion du temps : des notions et des mots que l'enfant a du mal à saisir.

" C'est quand demain ?

Carole, cinq ans

La fillette est probablement impatiente de voir arriver son père qui, lui a-t-on dit, doit revenir de voyage le lendemain.

La chronologie

La chronologie, c'est-à-dire la succession des événements et l'ordre dans lequel ils se déroulent, est une notion difficile à acquérir. Ainsi, ce n'est pas avant l'âge de six ans et demi en moyenne que les enfants parviennent à mettre en ordre des images qui racontent une histoire ou détaillent une action.

L'une des épreuves du test d'intelligence appelé WISC-R, l'« arrangement d'images », consiste à disposer devant l'enfant des séries d'images que l'on a préalablement mélangées. Il reçoit la consigne de reconstituer les histoires que racontent ces séries, chaque image représentant une étape d'une histoire. Ainsi, une première série raconte l'histoire d'une dame qui se pèse sur une balance. D'abord, la dame va vers la balance (image 1), puis elle se pèse (image 2) ; ensuite elle s'en va (image 3). Les images présentées dans le désordre doivent être remises dans leur ordre logique par l'enfant.

Avant six-sept ans, la difficulté pour un enfant de faire un classement rationnel vient aussi du fait que, selon la logique propre à son jeune âge, il raisonne souvent en sens inverse du réel. Il lui arrive en effet de prendre le résultat pour la cause.

« Dieu existe, affirme ainsi Éric, parce qu'il y a des églises. »
« Il fait froid parce que j'ai mis un pull. » « Il est mort parce
qu'on l'a enterré. » « Elle est triste parce qu'elle pleure. » Parlant de la naissance d'un bébé, une fillette explique :

Il sort parce qu'il est né.

Salomé, six ans et demi

Cependant, même si un enfant est capable de classer les événements qui jalonnent une durée donnée dans un ordre temporel
logique, il n'est pas sûr qu'il puisse évaluer la durée respective
de chaque séquence de cette durée. Si l'on dit à un enfant
que son grand-père doit arriver le lendemain soir, ayant hâte
que celui-ci arrive, il va demander : « C'est dans longtemps
demain ? » On lui explique que demain, c'est quand il se sera
couché, qu'il aura dormi et se sera réveillé. Le lendemain
matin, l'enfant veut partir tout de suite à la gare pour aller
chercher son grand-père, mais on lui fait remarquer que celui-
ci n'arrivera que le soir. Or ce n'est que le matin. Le temps
semble long. De toute façon, le temps est toujours très long
pour les enfants. Les durées leur paraissent une éternité. Peut-
être est-ce pour cela qu'ils sont toujours si impatients !
Pour aider les enfants à se repérer dans le temps et à maîtriser
l'attente, il est utile de leur donner d'abord des explications
concrètes par rapport au temps à mesurer. Le temps est une
donnée abstraite, et les différentes unités qui servent à le

mesurer sont en fait arbitraires. Le jeune enfant ne pouvant appréhender que ce qui est concret, des indications pratiques portant sur ses activités lui sont nécessaires. On peut aussi lui expliquer comment marchent les horloges, les montres, les sabliers, et lui apprendre à lire l'heure. On peut mettre à sa disposition des calendriers, des agendas, des poutres du temps (échelles figurant les jours et les mois, sur lesquelles l'enfant est invité à situer les événements marquants de sa vie)[21]. C'est ainsi que les calendriers de l'avent, notamment, sont très appréciés des enfants. Ouvrir chaque jour, souvent dès le lever, la petite fenêtre ou la petite porte qui correspondent à la date du jour permet d'apaiser un peu l'attente si longue de la fête de Noël. C'est de la sorte un jour de moins passé dans l'impatience. De la même façon, barrer sur un calendrier la date du jour en cours calme l'attente du retour des parents partis en voyage ou celle du départ pour les vacances.

Étant donné ses difficultés pour comprendre l'ordre des événements dans le temps, un enfant d'environ quatre-cinq ans a également du mal à appréhender sa généalogie, et ce, déjà en ce qui concerne sa propre génération :

Maman, pourquoi Tom, c'est mon grand frère ?

Michael, cinq ans

« Parce qu'il est né avant toi. Il a donc eu plus de temps que toi pour grandir. Et, même quand toi aussi tu seras grand, Tom restera toujours ton grand frère », répond la maman. Mais Michael, même s'il sait que sa mère dit vrai, n'est pas convaincu par cette réponse. Nombreux sont les enfants qui pensent (et espèrent) qu'un jour ils rattraperont en taille et en âge le grand frère ou la grande sœur.

En fait, le jeune enfant a du mal à concevoir un temps universel, un temps qui serait le même pour tous : Tom, le frère aîné de Michael, est né avant lui. Si la valeur du temps est la même pour tout le monde, Tom a vécu plus longtemps que Michael. Il est donc plus âgé que lui, qui est né après.

L'incapacité du jeune enfant à sortir de son propre point de vue pour se considérer du point de vue de l'autre, et sur une même échelle de temps, peut apparaître en d'autres circonstances. Si l'on demande, par exemple, à un enfant de quatre ou cinq ans qui a un frère si son frère a lui-même un frère, il répondra très souvent qu'ils ne sont que deux dans la famille, et que son frère n'a pas de frère [22]. Cet enfant ne parvient pas à s'extraire mentalement de la situation pour se considérer comme l'un des éléments de la comparaison.

Pour l'enfant jusqu'à quatre-cinq ans, comprendre la généalogie est également difficile par suite de l'« écrasement » du temps. Pour lui, il y a souvent contraction totale du temps passé. « Quel âge as-tu, grand-mère ? » demande une fillette de cinq ans à son aïeule. Cette dernière lui indique son âge.

« Alors, tu as dû rencontrer des dinosaures ! » s'exclame la fillette, très intéressée.
Un jeune garçon, après avoir questionné sa grand-mère sur son âge, demande à celle-ci, très vexée d'ailleurs par la question :

Alors, tu as connu Clovis ?

Bertrand, six ans

Sous quel roi tu es née ?

Léa, six ans, interrogeant sa grand-mère

Le jeune enfant est incapable d'estimer les durées, d'une part les unes par rapport aux autres, d'autre part par rapport à un temps universel. Il n'est vraiment concerné que par ce qui se passe ici, maintenant et en relation avec lui. Il a du mal à concevoir le temps présent par rapport à un avant et un après, et dans un temps qui serait le même pour tout le monde.
Petit à petit, grâce à l'évolution de son intelligence et aux expériences qu'il fait dans sa vie quotidienne, il découvrira le sens du temps et l'écoulement des générations. Et puis, finalement, après avoir beaucoup vécu, retrouvant l'intuition du jeune enfant qu'il était, peut-être pourra-t-il constater :

Le temps tourne sur lui-même [...]. Et cette fuite en avant qu'on baptise avenir, celui du monde, des générations qui se succèdent, n'est qu'illusion d'optique [...], désir vain d'échapper à la loi de l'éternel recommencement [...] [23].

Catherine Paysan

Tout revient et pourtant rien ne change. [...] Ce qu'on appelle le temps ne passe pas, il n'est que différents états de l'espace [24].

Stéphane Audeguy

Alors que pour l'adulte le temps passé reste infiniment présent, pour l'enfant seul existe le temps présent.

C'EST OÙ ?

De la même façon qu'avant sept-huit ans le jeune enfant n'a pas la capacité de concevoir un temps qui serait le même pour tous, il n'a pas les moyens de faire éclater l'espace dans lequel il vit. Il ne peut imaginer un espace se prolongeant au-delà du sien. Même si on le lui décrit, ou si on lui montre des plans ou des photos, il est incapable d'imaginer un ailleurs qui serait extérieur à son cadre habituel. Il ne peut se représenter mentalement que les lieux connus, lieux auxquels il s'accroche très tôt : « À ma maison, il y a ceci ou cela ; on fait ceci ou cela », diront souvent les enfants dès deux ans. Il faut dire que le jeune enfant vit et voit le monde extérieur essentiellement à travers sa famille. Les lieux connus et très investis affectivement lui servent de repères dans un monde encore peu construit conceptuellement. En fait, pour lui, au début, ils constituent l'univers tout entier.

Un horizon limité

À l'époque où étaient accrochées sur les murs des classes de grandes cartes de géographie, une fillette était interrogée au tableau sur le nom de la mer que l'institutrice pointait sur la carte, la mer Méditerranée. La scène se passe dans l'école d'une petite ville, H..., située justement sur la côte méditerranéenne. La fillette hésitant longuement, la maîtresse, pour la mettre sur la voie, lui donne des indices. Puis, finalement, elle lui dit :

« Mais voyons, Françoise, au bord de quelle mer sommes-nous ? » Et la fillette de s'exclamer : « Ah ! C'est la mer de H... ! » On peut ainsi constater que, pour Françoise, l'univers se résumait aux paysages qui l'entouraient. La mer Méditerranée ne pouvait être que la mer de chez elle.

Pour l'enfant, l'espace se résume à ce qui l'entoure et à ce qu'il connaît déjà. Mais, en plus, conceptuellement, il ne fait pas de lien entre les différents espaces connus. Il ne sait pas et ne cherche pas à savoir, par exemple, comment l'on va de l'un à l'autre. Cette lacune ne semble pas le gêner. Il paraît même ne pas s'en apercevoir, car pour lui la question ne se pose pas. C'est sans doute pourquoi, en dehors des interrogations du type « C'est où ? », ou « C'est quand qu'on arrivera ? », qui ont un intérêt avant tout immédiat et personnel, les jeunes enfants posent peu de questions concernant un espace qui serait le même pour tous. En fait, la notion d'un espace unique et universel n'existe pas avant un âge assez avancé.

Avant sept-huit ans, même s'il est capable de se souvenir des endroits où il est déjà allé et, surtout, de ceux où il a déjà habité, l'enfant ne peut se représenter les distances. Ainsi, Alice, qui a cinq ans et demi et qui va souvent en vacances chez ses grands-parents en Bretagne, se trouve cette fois sur la côte méditerranéenne, chez ses autres grands-parents. Un incendie s'est malheureusement déclaré sur une colline séparée par une anse de mer de la plage sur laquelle elle joue ce matin-là. De l'endroit où elle se trouve, elle voit une épaisse fumée s'élever derrière la colline. On entend alors Alice demander à sa mère :

Il est en Bretagne, le feu ?

Alice, cinq ans et demi

Alice n'a pas fait de différence entre la distance de quelques kilomètres qui la sépare de l'incendie en question et les centaines de kilomètres qu'il aurait été nécessaire de parcourir pour aller en Bretagne. Pourtant, elle a déjà fait le trajet plusieurs fois ! En fait, tout se passe pour l'enfant comme si son horizon du moment rassemblait tous les lieux connus.

Des repères concrets

Avant six-sept ans, l'enfant ne peut pas non plus se représenter ni représenter les trajets qui relient des points connus, même s'il a déjà parcouru les distances en question.

Comme c'est magique que les grandes personnes connaissent le chemin quand elles quittent un endroit ! L'enfant n'a pas la représentation du plan de la ville ; alors il est perdu dans des espaces nouveaux, et il ne sait pas comment joindre l'espace actuel à l'espace qu'il a quitté deux heures plus tôt[25].

Françoise Dolto

J. Piaget explique que des enfants de quatre-cinq ans qui font seuls un trajet de dix minutes de la maison à l'école, et inversement, ne parviennent pas à reconstituer le trajet en question à l'aide de petits objets tridimensionnels ou d'un plan[26]. En fait, ce que l'enfant représente lorsqu'il reproduit un espace donné en réduction n'a rien à voir pour lui avec l'espace qui lui a servi de modèle. Bruno Bettelheim raconte qu'un scientifique avait expliqué à un petit groupe d'enfants particulièrement intelligents de sept à neuf ans ce qu'était une comète. « Chaque enfant avait soigneusement découpé un cercle de papier et dessiné sur celui-ci la trajectoire des planètes autour du Soleil ; une ellipse en papier, fixée dans une fente pratiquée dans le cercle, représentait la trajectoire de la comète. Les enfants, écrit le célèbre psychiatre, me montrèrent la comète qui se déplaçait selon un certain angle par rapport aux planètes [27]. »

Après quoi Bruno Bettelheim avait demandé aux enfants comment ce qu'ils avaient dans leurs mains pouvait être en même temps dans le ciel. Cette question les avait laissés très perplexes. Leur maître, interrogé, leur avait alors expliqué que ce qu'ils avaient créé n'était qu'une représentation des planètes et de la comète. Leur maquette n'était en fait qu'une représentation de la réalité, mais pas la réalité elle-même. Les enfants affirmèrent qu'ils avaient fort bien compris cela dès le début, mais ils perdirent tout intérêt pour le travail qu'ils avaient réalisé avec tant de soin, et le détruisirent. Pourtant, peu de temps auparavant, ils souhaitaient rapporter chez eux les maquettes qu'ils avaient exécutées pour les montrer à leurs parents.

En fait, ces morceaux de papier n'avaient eu d'intérêt pour les enfants que tant qu'ils *étaient* des comètes. Le fait qu'on leur ait fait remarquer qu'ils n'étaient que des reproductions, ce qu'ils savaient sans doute déjà, mais de façon ambiguë, avait rompu le charme... Nous voyons une fois de plus, à l'occasion de cette observation, combien la croyance en une animation, c'est-à-dire en une vie des « choses », est encore vive à une phase avancée de l'enfance. Jean Piaget [28] a d'ailleurs noté que le concept de « chose », dans le sens d'un objet sans vie, est rarement utilisé avant l'âge de onze ans, son apparition coïncidant avec le déclin de l'animisme enfantin.

On peut également être surpris, à propos de l'histoire rapportée par Bruno Bettelheim, de constater à quel point les enfants ont du mal à se rendre compte de la différence d'échelle, parfois énorme, entre les superficies réelles et leur représentation sur une carte, un atlas ou une maquette. Pour eux, leur maquette avait la taille de la trajectoire réelle des planètes. La transposition n'était pas encore possible.

Montrant sur l'atlas l'île où il a passé ses vacances, un enfant explique :

Ici, c'est minuscule, mais, en réalité, quand on y est, c'est beaucoup plus grand !

Marc, six ans

Cet enfant n'est pas éloigné de croire que l'espace dessiné sur l'atlas est en fait l'espace réel.

Encore une fois, c'est la représentation mentale des relations entre les différents points de l'espace – en fait, d'un plan général – qui est difficile pour le jeune enfant. Pour s'y retrouver, il lui faut des jalons matériels. C'est ce qu'explique Françoise Dolto à propos des « autobus à essence » de son enfance :

À partir du moment où l'enfant est mis dans un véhicule comme ça, il ne trouve plus du tout les mêmes repères que quand il est à pied ; et quand le véhicule arrête à un endroit, il n'y a plus aucun rapport entre cet endroit [...] et l'endroit où ils sont montés [l'enfant avec la grande personne qui l'accompagne]. Tout est dans un autre monde, tout à coup[29].

Françoise Dolto

L'enfant parvient à se repérer dans un trajet quand il en a intériorisé les différentes étapes et qu'il peut les visualiser mentalement. Cependant, il a encore beaucoup de mal à se représenter le chemin en sens inverse. C'est pourquoi le Petit Poucet a semé des petits cailloux blancs sur le chemin qui les éloigne, lui et ses frères, de la maison familiale. Ensuite, alors qu'ils sont perdus dans la forêt, les cailloux lui permettent de la retrouver. Malheureusement, la fois suivante, lorsque les parents cherchent de nouveau à perdre leurs enfants, le Petit Poucet, pris de court, n'a à sa disposition que des boulettes de mie de pain. Celles-ci ayant été mangées par les oiseaux, il ne les trouve plus quand lui et ses frères veulent revenir chez eux. De ce fait, ils ne peuvent retrouver le chemin de leur maison.

La mémorisation d'un itinéraire dans le sens inverse de celui que l'on connaît est certainement plus difficile, même avec des repères, et surtout si ces repères sont différents les uns des autres. Sur le chemin du retour, l'enfant doit en effet se représenter la succession des points de référence non plus suivant l'ordre dans lequel il les a vus et mémorisés, mais dans l'ordre inverse. Il ne s'agit plus ici des petits cailloux ou des boulettes de pain du Petit Poucet, repères qui étaient tous identiques, mais de repères différents les uns des autres, tels ceux que constituent les rues, les passages protégés, les boutiques, les arbres, sur le chemin de l'école ou des courses.

Pour le jeune enfant, la distance ne signifie pas grand-chose si ce n'est la longueur de temps nécessaire pour la parcourir. Les parents de Max, qui a six ans, viennent de partir en voyage. Quelqu'un interroge l'enfant sur leur lieu de destination. Max répond : « Ils sont partis à huit heures et ils sont arrivés à dix heures. – Dix heures du soir ? – Oui. – Alors, ça doit être loin ? – J'sais pas. » Malgré les questions répétées de son interlocuteur, Max, qui est un enfant intelligent, est incapable de donner non seulement le lieu de destination de ses parents et la direction qu'ils ont prise, mais une évaluation approximative de la distance qu'ils ont couverte, ne serait-ce qu'en précisant si c'est « loin » ou « pas loin ».

Il faut noter à ce propos que l'enfant repère les lieux de façon syncrétique – c'est-à-dire grâce à un caractère qui leur est propre, une partie du tout valant pour le tout – plutôt qu'en fonction de leur éloignement.

La mémorisation des repères

Une épreuve du test d'intelligence WISC, dite « Mémoire des chiffres », permet de mesurer la capacité de l'enfant à mémoriser une série dans les deux sens. On énonce devant lui, l'une après l'autre, des séries de chiffres dont la longueur augmente progressivement. Dans un premier temps, il doit se souvenir des chiffres série par série, en commençant par la moins longue, puis les répéter dans le même ordre. Dans un second temps, il doit redonner la série de chiffres qu'il vient d'entendre dans le sens contraire de celui dans lequel elle lui a été dictée. Le nombre de chiffres qu'il est capable de retenir et de répéter, d'abord dans le bon ordre, puis dans l'ordre inverse, augmente bien entendu avec l'âge.

> Est-ce qu'on va à ta maison avec les moutons ou à ta maison avec le jeu des petites autos ?
>
> Mathieu, quatre ans, interrogeant son grand-père

Cet enfant cherche ainsi à savoir s'ils vont aller dans la maison de campagne des grands-parents – des moutons paissant dans le champ voisin – ou dans celle de la ville – où se trouve un jeu qu'il affectionne.

Si Max, dont nous parlions tout à l'heure, n'a pas pu renseigner son interlocuteur sur la destination de ses parents partis en voyage, il sait très bien qu'ils sont allés à un mariage. À la différence de l'espace, concept abstrait, il a parfaitement intégré cette donnée. Il est déjà allé à un mariage et il sait ce que c'est. Il s'agit d'un événement concret, qu'il peut se représenter. Il a donc pu enregistrer et retenir l'information fournie par ses parents quant à l'objet de leur voyage. En revanche, il n'est jamais allé dans la ville où a lieu le mariage. Il ne peut pas s'en souvenir. En outre, comme nous l'avons dit plus haut, malgré cartes, explications et croquis, Max, étant donné son âge, n'est pas capable de se rendre compte du trajet à faire pour se rendre dans cette ville ni d'identifier sa localisation.

Le même enfant raconte à une fillette de son âge qu'il va souvent en Bretagne pour les vacances. Cette petite fille y va également, ce qu'elle lui dit. Un interlocuteur extérieur leur demande alors dans quel endroit précis en Bretagne ils se rendent pour leurs vacances. En réponse à cette question, ils citent chacun une ville différente. Et Max de conclure :

On n'a pas la même Bretagne tous les deux !

Max, six ans

Par Bretagne, son interlocuteur s'en est rendu compte par la suite, l'enfant voulait dire « ville ». Max ajoute d'ailleurs pour conclure : « C'est comme en Afrique, il y a beaucoup de villes ! » La Bretagne de Max, c'est sans doute la maison de ses grands-parents, le jardin et peut-être la plage où il va se baigner. Chez les enfants de cet âge, les concepts de ville, pays et région sont encore peu élaborés. Un autre garçonnet, âgé quant à lui de cinq ans, à qui l'on demande, à son retour en France, ce qui l'a frappé aux États-Unis où il vient de séjourner un certain temps, parle avec enthousiasme du grand jardin qu'il avait là-bas. À l'évidence, c'est cela son Amérique à lui !

À son arrivée en Afrique noire, alors qu'elle voyageait dans un taxi, une fillette a été fascinée par un petit trou dans le plancher, à ses pieds. Pendant tout le trajet, elle a scruté ce petit trou. Pour elle, c'est cela l'Afrique. « Je suis revenue en France et je n'ai parlé que de ça », écrit-elle plus tard, devenue adulte [30].

Le jeune enfant ne peut voir les choses que de son point de vue. Juliette, une fillette de quatre ans qui doit se rendre à Paris dans le quartier de la tour Eiffel quelques semaines après les événements du 11 septembre 2001, demande avec insistance et une certaine anxiété si elle va voir « la tour ». Peut-être ne sera-t-elle plus là ! Sa tante, qui est venue la chercher en voiture chez elle, ne comprend cette anxiété que lorsqu'elles sont presque arrivées à destination et que la fillette aperçoit effectivement la tour Eiffel. Dans son langage, et avec beaucoup de confusion, Juliette parle alors des tours jumelles de New York qui viennent de s'effondrer. À cet instant, il est clair que son émotion vient du fait qu'elle a fait l'amalgame entre ces tours, qui viennent d'être détruites, et la tour Eiffel, la seule tour qu'elle connaisse. Pour elle, toute tour est la tour Eiffel.

C'est ainsi d'ailleurs, pour citer de nouveau ces événements dramatiques, que de jeunes enfants, en France, pour toute interrogation, se sont contentés, immédiatement après la catastrophe, de demander à leurs proches : « Il y aura école ou pas ? » Ne nous y trompons pas : chez ces enfants, il ne s'agissait pas d'indifférence, mais d'un comportement naturel à leur âge. Ils n'avaient pas été touchés de près, géographiquement ou affectivement. Ils étaient loin et ne connaissaient personne directement touché. En ce qui les concernait, l'événement ne pouvait donc avoir d'existence réelle. Seule pouvait les intéresser, dans l'égocentrisme propre à leur âge, leur situation personnelle immédiate. Et quoi de plus important dans la vie sociale d'un enfant que l'école ?

On peut ajouter que, derrière cette interrogation bien prosaïque concernant l'école, il y avait certainement aussi, étant donné l'émotion ambiante, un réel besoin d'être rassurés. Il est probable que le même besoin taraudait une fillette qui, se souvenant sans doute de l'histoire des trois petits cochons, avait dit, après avoir vu les images de la télévision :

À Paris, les maisons sont solides. Elles sont faites en brique, pas en paille.

Héloïse, quatre ans

La même fillette regrettait que la tour qu'elle avait essayé de faire en pâte à modeler n'ait pas été suffisamment solide. Aussitôt terminée, elle s'était en effet écroulée. Dans ce jeu, la fillette avait dû représenter inconsciemment la précarité de l'environnement telle qu'elle la ressentait à ce moment-là.

Sous la question d'Alice citée plus haut sur le feu en Bretagne perçait également une inquiétude certaine. Est-ce que le feu, comme les avions destructeurs de New York, ne pourrait pas venir jusqu'à elle ? « Suis-je bien en sécurité ? » Le feu semblait peut-être même encore plus menaçant, dans la mesure où, au lieu de voir les tours s'effondrer à la télévision, l'enfant pouvait observer de ses propres yeux la fumée de l'incendie. D'ailleurs, dans la nuit qui avait suivi, Alice avait fait de gros cauchemars : elle voyait des incendies cerner sa maison de toutes parts.

Dans des cas semblables, alors que la réalité ne peut ni ne doit être cachée ou niée, il est préférable d'expliquer les faits le plus clairement et le plus simplement possible à l'enfant, et d'en parler avec lui. S'il sent que ses interlocuteurs adultes sont prêts à l'écouter et à répondre à ses questions, il se laissera aller à exprimer ses interrogations et ses inquiétudes secrètes. Ce sera pour lui un premier soulagement. Par ailleurs, il sera tout à fait rassuré si, sans occulter la réalité, on précise que les adultes qui, à l'instar de ses parents, ont pour mission de le protéger, ont pris toutes les mesures nécessaires pour lutter contre les dangers susceptibles de le menacer.

En ce qui concerne le feu, par exemple, l'enfant s'intéressera, si on les lui explique, aux précautions prises pour éviter qu'il y ait des incendies dans le lieu où il habite, ainsi qu'à toutes les mesures prévues au cas où, malgré tout, il en surviendrait un. Dans le cas des attentats, la vigilance des forces de police dans le pays peut également être mise en avant, avec pour illustration les circonstances dans lesquelles l'enfant a pu en être témoin lui-même : quand il a pris l'avion et que son bagage a été passé aux rayons X ; quand, toujours au contrôle de l'aéroport, on lui a enlevé les petits ciseaux qu'il avait malencontreusement laissés dans sa trousse d'école au fond de son sac.

Il faut savoir en tout cas que lorsqu'un enfant entend parler d'un événement un tant soit peu dramatique, il pense immédiatement que celui-ci risque de se produire ici et maintenant. Il ne peut en effet imaginer un ailleurs qu'il ne connaît pas et où il n'est jamais allé, autrement dit le lieu où l'on dit que se passe l'événement en question. Seul existe son environnement à lui. Si donc quelque chose doit se produire, il est probable que ce sera dans cet environnement-là. Pour cette raison, il est toujours bon, quand on explique à un enfant un événement grave, d'avoir présentes à l'esprit les craintes que cet événement est susceptible de déclencher chez lui, même si cela se passe loin dans l'espace ou dans le temps. Cet événement peut

en effet être ressenti par l'enfant comme devant l'atteindre personnellement.

Multiplication des objets, confusion des points de vue

L'incapacité où est le très jeune enfant de se décentrer et de
voir les choses autrement que de son point de vue entraîne une
autre particularité dans sa façon de concevoir l'espace : vue
de différents endroits, une même chose lui apparaît comme
multiple. Ainsi Aurélie, trois ans et demi, court-elle, très exci-
tée, d'une fenêtre à l'autre de l'appartement d'une amie de ses
parents en criant : « Encore une ! Encore une ! » En fait, toutes
les fenêtres de cet appartement donnent sur un même monument, une statue. Chaque fois qu'Aurélie change de fenêtre,
elle croit voir une autre statue, bien qu'elle soit identique à la
précédente. Et cette multiplicité la ravit. Un autre enfant du
même âge, passant sur un pont, parle des deux rivières qu'il a
vues : une de chaque côté du pont.

Autre particularité, symétrique de la précédente, le jeune enfant
peut voir plusieurs représentants de la même personne ou plusieurs exemplaires de la même chose à différents endroits, persuadé qu'il s'agit d'une seule et même personne ou d'une seule
et même chose. Un cas typique est celui du père Noël. Quand
arrive l'époque des fêtes de fin d'année, les enfants ont l'occasion de rencontrer une multitude de pères Noël : dans la rue,
à l'école, au supermarché, à l'arbre de Noël de l'entreprise où
travaillent leurs parents et dans bien d'autres endroits encore.

Ils en voient aussi à la télévision ou dans des films. Mais aucun enfant ne paraît jamais étonné de cette multiplication ; apparemment, elle n'éveille aucun soupçon. La question n'est en tout cas jamais posée par les enfants. Elle ne semble même pas les effleurer. Il va de soi que ces différentes personnifications du père Noël sont une même personne. C'est *le* père Noël. Un point, c'est tout !

Jean Piaget donne un autre exemple, très parlant, de cette particularité [31]. « Tandis qu'il se promenait avec son petit garçon dans le jardin situé derrière sa maison, il demanda à son fils : "Où est papa ?" L'enfant montra du doigt la fenêtre du bureau de Piaget en disant : "Il est là-haut." Son père était pourtant toujours à côté de lui. » Bruno Bettelheim, qui rapporte l'anecdote, explique que l'enfant était à un âge où sa sécurité reposait sur l'idée que son père était dans son bureau. Si Jean Piaget avait essayé de convaincre son fils, à ce stade de son développement mental, qu'il ne pouvait pas être en même temps en deux endroits différents, il aurait certainement accru le sens de la réalité de l'enfant, mais il lui aurait donné aussi un sentiment de confusion et d'insécurité. Jean Piaget avait donc choisi de ne pas détromper son fils pour ne pas le déstabiliser.

Cette incapacité de se décentrer explique aussi, même chez des enfants plus âgés, le flou dans lequel ils sont par rapport à ce qui leur est extérieur.

La petite Aurélie, dont il a été question plus haut, désire vivement monter sur la tour Eiffel. On lui promet toujours qu'on l'y emmènera, et elle vit dans cet espoir. Un jour où il fait très beau, Aurélie dit :

J'espère que, quand j'y monterai [à la tour Eiffel], il fera beau comme aujourd'hui. Parce que, comme ça, je pourrai bien la voir !

Aurélie, trois ans et demi

Aurélie fait ainsi l'amalgame entre la vision de Paris qu'elle aura du haut de la tour Eiffel par temps dégagé et la vision qu'elle a de la tour lorsqu'elle se trouve à ses pieds. La fillette se voit à la fois *sur* et *devant* le monument. Cette confusion semble malgré tout provoquer chez elle un certain malaise. Elle a sans doute l'intuition d'un décalage entre sa vision et la réalité.

Ce jour-là, d'ailleurs, la confusion est à son comble quand la grande personne qui accompagne l'enfant, essayant de lui faire prendre conscience de la réalité des choses, l'emmène sous la tour Eiffel. Aurélie regarde alors attentivement autour d'elle. Elle observe en particulier les ascenseurs rouges et jaunes qui montent et descendent à l'intérieur des piliers. De retour dans l'immeuble de son accompagnateur, qui est à proximité, se dirigeant avec ce dernier vers l'ascenseur au fond du hall, elle est tout à coup prise de panique, ne sachant plus s'il s'agit de l'ascenseur de l'immeuble ou de celui de la tour Eiffel. C'est du moins ce qu'il comprend dans les propos incohérents qu'elle tient alors. Pour la fillette, là-bas et ici semblent à cet instant se confondre.

Peut-être est-ce en partie pour cela que les enfants aiment tant se construire des « cabanes ». Il s'agit parfois d'une simple nappe ou d'un drap tendus sur les côtés d'une table, les cachant à la vue des autres, ou d'une cachette sous l'escalier de la maison. Ils aiment avoir un endroit rien qu'à eux où ils organisent l'espace et laissent des affaires que personne ne vient « déranger ». Là, ils se sentent en sécurité. Ils ont leurs repères (ou leur repaire). C'est eux qui les ont posés, et ils en font ce qu'ils veulent. Dans leur imaginaire en effet, qui sait dans quels palais ils habitent alors, ou sur quels radeaux ils se sont embarqués ? De fait, les lieux réels peuvent être transformés par l'imagination. Par exemple, le lit devient un bateau, et la descente de lit la mer. Et vogue la galère !

Tolstoï se souvient des jeux de son enfance :

[...] des longues soirées d'hiver où nous recouvrions un fauteuil avec des fichus, en faisions une calèche, l'un se mettait à la place du cocher, l'autre à celle du valet, les petites filles au milieu, trois chaises figurant une troïka, et nous prenions la route. Les aventures les plus diverses survenaient au cours de cette équipée, et les soirs d'hiver passaient gaiement, rapidement[32] !...

Léon Tolstoï

« On serait le papa et la maman. Toi, tu serais la grande sœur et, toi, le petit frère. On ferait ceci. On dirait cela. Ici, ce serait notre maison et, là, ce serait l'école. » Ainsi parlent les jeunes enfants lorsqu'ils construisent leurs jeux. Toute la matière en est prise dans la réalité qui les entoure, et cette réalité revient à travers l'imaginaire. Fiction et réalité coexistent. Chez le jeune enfant, de même que chez l'artiste, il n'y a pas de barrière entre imaginaire et réel. La rêverie du poète dessine un espace flou où affleurent, comme dans la brume, la réalité revisitée par l'imaginaire

Finalement, nous pourrions penser avec certains grands écrivains, Proust par exemple, que les notions d'espace et de temps ne sont que des conventions établies par les hommes pour mettre un peu d'ordre dans leurs échanges et leur façon de concevoir le monde. Comme le notait un critique à propos de l'écrivain Claude Simon, ces auteurs traitent l'« espace et le temps pour ce qu'ils sont – non des réalités, mais de purs phénomènes vécus par une subjectivité, un trouble magma d'émotions, de souvenirs, d'images [33] ». On sait que, pour des adultes, quand les repères dans le temps et l'espace sont bouleversés, ce qui est le cas dans certains films fantastiques, l'émoi qui en résulte peut être source d'une grande jubilation.

Dans ce domaine encore, les jeunes enfants, pour qui l'espace et le temps restent des notions floues, ne seraient-ils pas plus que les adultes, dont ils n'ont pas encore intégré les conventions, au plus près de la réalité de l'univers ? Nous sommes alors loin de la conclusion du philosophe Emmanuel Kant pour qui tout ce que nous connaissons passant par deux canaux, le temps et l'espace, il faudrait renoncer à vouloir penser ce qui ne nous est pas donné dans le temps et dans l'espace.

COMPRENDRE LES AUTRES ET LE MONDE

3

POURQUOI ÇA S'APPELLE COMME ÇA ?

« Pourquoi ça s'appelle comme ça et pas autrement ? » Marie, sept ans, pose souvent cette question. Par exemple, pourquoi un chien s'appelle-t-il un chien ? et une pomme, une pomme ? De la même façon, un petit garçon interroge :

Qui a décidé que Dieu s'appellerait Dieu ?

Victor, sept ans et demi

L'origine des mots

Vaste question que celle de connaître l'origine première des vocables. Les paléolinguistes ont essayé d'y répondre. Ils s'accordent à penser que l'invention et le développement du langage chez les hommes préhistoriques auraient suivi les mêmes étapes que celles du babil du tout petit enfant. Toutefois, jusqu'à présent, ils n'ont pu qu'émettre des hypothèses sur l'origine des mots.

Selon l'une de ces hypothèses, c'est « du fait de la première nécessité d'avoir à désigner par la parole les quelques dix animaux les plus importants de son environnement, puis par la seconde nécessité d'avoir à désigner les abstractions que sont les concepts exprimant les valeurs attribuées à ces animaux, que l'on peut imaginer, avec quelque vraisemblance, que l'homme a pu franchir en un million d'années environ les premières étapes de la construction du langage véritablement arti-culé[1] ». Il est probable que les premiers hommes, lors des chasses aux gros animaux, quand ils se sont mis à construire des embarcations, ou à la suite de colonisations, ont eu besoin de systèmes de communication linguistique.

Explication beaucoup plus « romantique » pour Jean-Jacques Rousseau : la lutte en commun pour assurer la subsistance aurait été la condition nécessaire, mais non suffisante, du pre-mier langage[2]. Celui-ci serait né dans toute son « énergie » lorsque des « besoins moraux », c'est-à-dire des passions, se seraient ajoutés aux « besoins purement physiques ». À l'ori-gine du langage, il y aurait donc eu à la fois la nécessité de l'entraide et le plaisir de la rencontre entre les individus. Les premiers hommes se rassemblaient pour creuser des puits, par exemple. Mais ils se réunissaient ensuite autour d'un foyer commun pour faire la fête. Ils avaient donc besoin d'un langage pour communiquer entre eux et se sentir proches les uns des autres.

Curieusement, jusqu'à très récemment, l'origine des langues a peu intéressé les spécialistes. Le linguiste bien connu Ferdi-nand de Saussure parle même du « caractère arbitraire du signe[3] ». Pour la plupart des linguistes en effet, les mots sont des signes choisis au hasard, qui sont liés au sens. Il n'y aurait pas d'explication à leur création. « Toutes les langues parlées du monde [...] reposent sur un système de signes agencés selon des règles qui leur sont propres[4]. » Il n'y aurait donc pas de réponse à la question de Marie, du moins pour le moment.

Il est vrai que la dénomination des choses, des actions et des concepts peut sembler arbitraire. Que, selon les langues, une même chose puisse être désignée par des mots différents ayant des sonorités parfois très éloignées peut aussi poser question. Qui plus est, ces sonorités n'ont souvent aucun rapport avec l'apparence ou avec un attribut des choses désignées. Par exemple, l'animal que l'on appelle « chien » en français se nomme *dog* en anglais et *Hund* en allemand : ces mots ne sonnent pas du tout de la même façon. Par ailleurs, les mots « chien », « dog » et « Hund » n'ont aucun rapport avec le bruit que fait l'animal en aboyant : « wouah-wouah », ainsi que les petits enfants français, notamment, appellent spontanément les chiens.

Pourtant, un certain nombre de spécialistes sont depuis peu à la recherche d'une langue primitive unique, une proto-langue ou langue mère, d'où proviendraient les six à sept mille langues parlées actuellement dans le monde[5]. Finalement, la question de Marie, pionnière en la matière, va peut-être trouver un jour une réponse ou un début de réponse.

En attendant, que dire à l'enfant, sinon que, pour le moment du moins, on ne sait pas pourquoi telle chose a tel nom ! Il admettra tout à fait ce type de réponse, surtout si l'on ajoute que sa question est très intéressante, que nous allons essayer de nous documenter pour y répondre et que nous le tiendrons au courant du résultat de nos recherches. Notre curiosité, comme celle de l'enfant, ainsi que notre réflexion resteront ainsi en alerte.

Cependant, avant d'être à même de poser les questions du type de celle de Marie, les enfants en posent bien d'autres concernant le langage. Au début, ils demandent essentiellement : « C'est quoi, ça ? » « Comment ça s'appelle ? » Le petit enfant découvre le monde qui l'entoure. Il découvre aussi le vocabulaire, et il acquiert rapidement la connaissance d'un grand nombre de mots, surtout à partir de trois ans. Il en fait une véritable orgie.

Nous avons écouté un petit garçon de trois ou quatre ans rencontré dans une grande librairie. Dans le rayon des livres pour enfants, son père lui montre un atlas illustré et lui demande : « Est-ce que tu veux que je t'achète un atlas ? » « C'est quoi un atlas ? » rétorque aussitôt l'enfant. Son père, qui le voit se tortiller, lui dit alors : « Tu as envie de faire pipi ? – Oui. » Le père se renseigne auprès des vendeuses et dit à son fils : « Nous allons aller dans les toilettes du personnel. – C'est quoi le personnel ? » Le dialogue se poursuivait de la sorte lorsque nous nous sommes éloignée.

Les langues

L'enfant apprend sa langue maternelle, et pendant un assez grand nombre d'années l'idée qu'il existe d'autres langues ne l'effleure pas. S'il naît et grandit dans une famille bilingue ou plurilingue, il parlera simultanément diverses langues sans se rendre compte qu'elles sont différentes. Il s'adressera à chaque membre de la communauté familiale en utilisant spontanément la langue de son interlocuteur, mais il faudra attendre plusieurs années avant qu'il comprenne clairement qu'il existe une distinction entre ces différentes langues.

Tout d'abord, qu'entend-il par « langue étrangère », en tout cas tant que les notions d'ailleurs et de pays étrangers ne signifient pas grand-chose pour lui (voir « C'est où ? », p. 96) ? Amélie Nothomb qui, bébé, a été élevée au Japon, écrit :

Pour moi, il n'y avait pas des langues, mais une seule et grande langue dont on pouvait choisir les variantes japonaises ou françaises [6].

Amélie Nothomb

Une fillette, voulant impressionner les passants dans la rue, se met à parler charabia. Elle confie à sa mère, qui l'accompagne :

Tu vois, ils vont croire que je parle anglais !

Élodie, sept ans et demi

Il est clair que pour cette fillette, parler anglais c'est par définition tenir un discours que les autres ne comprennent pas. Si donc elle émet des sons incohérents, il s'agira pour les autres d'une langue étrangère, l'anglais en l'occurrence, puisque c'est la seule langue étrangère dont elle a entendu parler. Pour cette fillette, les mots de « langue » et de « langue étrangère » n'ont certainement pas encore un sens précis.

Les enfants plus âgés sont souvent intrigués par la multiplicité des langues. Ils posent beaucoup de questions à ce sujet : « Pourquoi les gens sur la terre parlent des langues différentes ? » « Pourquoi ne parle-t-on pas tous la même langue ? » Ils sont également surpris par la diversité des accents dans un même pays. Sur ce dernier point, on peut leur répondre en insistant sur le fait que l'accent constitue un signe d'appartenance profonde au pays, à la région et à la famille d'où l'on vient, un signe de reconnaissance, en quelque sorte.

En ce qui concerne la multiplicité des langues, comme pour leur origine, les linguistes font des hypothèses. Ils expliquent comment les langues se seraient dissociées à partir soit d'une seule et même langue primitive, soit de plusieurs. Elles se seraient ensuite développées avec, chacune, des caractéristiques propres suivant les besoins des peuples qui les utilisaient[7]. Une autre origine de la multiplicité des langues, une origine mythique, est donnée dans la Bible avec le récit de la construction de la tour de Babel (Genèse, II, 1-8) :

« Tous les hommes ne formaient jusque-là qu'un seul peuple et parlaient une même langue. Or, voici qu'un jour, unissant leurs efforts, ils décident de construire une tour qui s'élèvera jusqu'au ciel, pour rendre leur nom célèbre. La construction en est vite entamée. Mais Dieu, prenant ombrage de leur projet, leur attribue des langues différentes, si bien qu'ils ne peuvent plus se comprendre. La construction de la tour ne peut donc se poursuivre et les hommes se dispersent sur toute la surface de la terre. »

La multiplicité des langues apparaît dans la Bible comme un châtiment. En effet, les hommes, qui ne parlent plus la même langue, ne peuvent plus s'entendre aux deux sens du terme, à savoir se comprendre et être d'accord. Ils sont alors obligés de se séparer. Cependant, l'enfant n'envisage pas du tout les choses de cette manière quand il comprend le moyen de communication et de rapprochement extraordinaire que constitue l'apprentissage des langues étrangères. Mais cet intérêt ne vient qu'assez tard. Quand il est tout jeune, il est surtout passionnant pour lui de découvrir l'équivalent des mots usuels dans d'autres langues que la sienne. Cela tient un peu de la magie !

Le pouvoir des mots

La découverte et l'utilisation des mots – quels qu'ils soient – entraînent chez le petit enfant une véritable jubilation. Les mots, aux âges précoces, sont de vrais joyaux que l'on tourne et retourne, des sucreries que l'on savoure longuement. L'enfant les roule dans sa bouche. Comparant le japonais et l'anglais, langues qu'elle parle couramment, Amélie Nothomb, qui est belge, décrit ces sensations :

Les mots [japonais] aux syllabes bien détachées les unes des autres, aux sonorités nettes, c'étaient des sushis, des bouchées pralinées, des tablettes de chocolat [...], c'étaient des gâteaux pour le thé de cérémonie. [...]

Cette langue trop cuite [l'anglais], purée de chuintements, chewing-gum mâché qu'on se passait de bouche en bouche. L'anglo-américain ignorait le cru, le saisi, le frit, le cuit à la vapeur : il ne connaissait que le bouilli[8].

Amélie Nothomb

De fait, les mots se mangent : « Je n'avais pas faim de l'anglais », écrit encore l'auteur. C'est dans l'énoncé des mots que réside la plus grande jubilation. « Dire les choses à haute voix [...], cela confère au mot une valeur exceptionnelle, continue Amélie Nothomb. Otarie, c'est sublime [...]. Toupie, c'est trop beau. » Catherine Paysan parle pour sa part de « valse délicieuse des mots connus ! Aventureuse des mots nouveaux ! Rencontre amoureuse avec leur rythme, leur métrique, leur silhouette, leur allure[9] ». Elle parle aussi des « mots-bibelots, qui ne tenaient lieu, quand on les énonçait, que d'ornement. Comme des surtouts, comme des vases ». Tous ces souvenirs, encore très vivaces, montrent combien est grand le plaisir du jeune enfant quand il découvre les mots et s'en gargarise. Cette jubilation, malheureusement, diminuera avec l'apprentissage de la lecture et de l'écriture. L'adulte la retrouvera dans la poésie.
Roland Barthes décrit également ses sensations au contact des mots : « Le langage est une peau : je frotte mon langage contre l'autre. C'est comme si j'avais des mots en guise de doigts, ou des doigts au bout de mes mots[10]. » Le langage est en effet un moyen d'atteindre les autres, comme il est un moyen d'être

atteint par eux. C'est également une façon d'exercer un pouvoir sur eux. Il n'y a qu'à voir l'emprise qu'ont sur leur entourage les enfants qui décident d'être mutiques !

La combinaison des mots peut aussi être un grand plaisir pour le jeune enfant. De la petite fille qui apparaissait en pyjama dans le film *La Dolce Vita* et qui demandait : « Il a une maman, le Soleil[11] ? », son père, à juste titre très admiratif, disait : « C'est déjà la phrase d'un poète. Ce qui lui plaît le plus, ce sont les combinaisons de mots. Une phrase nouvelle l'enchante. Et puis elle en invente. »

Mais les mots peuvent aussi blesser, voire tuer. C'est ce qu'explique encore Amélie Nothomb lorsqu'elle raconte comment sa gouvernante japonaise leur faisait le récit, à sa sœur et à elle, de la mort dramatique de sa petite sœur, écrasée par le train Kobé-Nishinomya.

À chaque occurrence de ce récit, sans faillir, les mots de ma gouvernante tuaient la petite fille[12].

Amélie Nothomb

L'enfant vit intensément les histoires qu'on lui raconte comme s'il s'agissait de la réalité actuelle, à plus forte raison si ce sont des histoires vraies.

Les mots peuvent également tuer par leur absence. En effet, ne pas nommer revient en quelque sorte à annuler la chose ou la personne que l'on refuse de nommer. Amélie Nothomb détestait un ami de son frère, Hugo. « Je décidai de ne pas nommer Hugo pour le châtier », écrit-elle. De la même façon, parlant de son frère, elle écrit : « Il adorait me persécuter : pour le punir, je ne le nommerais pas. Ainsi, il n'existerait pas tellement. » Ici, le nom remplace la personne. Si on ne peut supprimer la personne, on peut faire disparaître son nom, sans toucher à elle. Encore tout près de penser que l'on peut tuer quelqu'un uniquement par la pensée, les jeunes enfants sont sensibles à cette distinction entre pensée et parole d'une part, pensée et action d'autre part. Ainsi Roger, qui, à l'âge de quatre ans, déclare :

Paç'que si on *pense* seulement à faire quelque chose comme ça, ça ne peut faire de mal à personne. Mais si on le *fait*, alors on peut vraiment faire du mal à quelqu'un[13].

Selma H. Freiberg

Nommer une chose, c'est la faire exister. Nous avons évoqué (voir « D'où ça vient ? Où ça va ? ») les « choses » qui, n'ayant pas de nom, n'ont pas d'identité propre et, inversement, le cas des mots qui désignent une absence, un vide, autrement dit quelque chose qui n'existe pas. Les choses commencent à exister pour l'enfant quand il peut leur adjoindre un nom. Ainsi, partant à la conquête du monde, il découvre et accapare les mots avec avidité, et ce, pendant des années : un enfant de neuf ans est capable d'intégrer dix nouveaux mots par jour pour en posséder jusqu'à plus de cinquante mille à la fin de sa scolarité.

En fait, pour l'enfant jusqu'à six-sept ans, les mots sont en eux-mêmes des choses concrètes. Les noms sont dans les choses. En même temps qu'ils les désignent, ils sont les choses qu'ils représentent. Les « mots-choses » font partie du monde primitif de l'enfant. Ils sont aussi concrets que les choses qu'ils nomment. Les mots peuvent être des fantasmes vivants et pas seulement des mots. Durant toute la vie d'ailleurs, les « mots-choses » du rêve constitueront à eux seuls des images capables de provoquer des réactions corporelles et affectives.

Annie Saumont raconte de façon humoristique l'histoire – qui se termine très mal – d'un jeune garçon africain, Doumbo. Celui-ci veut à tout prix participer au « jeu des mots » organisé par une fillette de la cité, « typiquement un truc de filles[14] ». Il s'agit de « trouver chacun son tour et en vitesse des mots qui finissent, par exemple, par on ». Le jeu commence, et le premier enfant dit : « Dans mon petit corbillon rond que met-on ? » « Un melon du savon le bouton, un crayon un marron le paillasson. » Doumbo, très fier, dit : « un bonbon ». Il est aussi d'accord pour « un ballon », mais pas du tout pour « une maison ». « Il dit que ça n'entrera pas. Une maison. Dans un corbillon. Et non plus un camion, ni un mouton. Sans blague ! La fille, elle, râle : "Hé t'es bouché ou quoi ? C'est juste le mot qu'on y met." »

Le jeune enfant, par ailleurs, n'est pas encore capable de penser de façon abstraite. Rappelons-nous Juliette, quatre ans, qui craignait de ne plus voir la tour Eiffel, à Paris, après la destruction des tours jumelles de New York[15]. Pour elle, le mot « tour » n'était pas encore un terme général s'appliquant à toute construction en hauteur. Il désignait seulement une tour particulière, la seule tour qu'elle connaissait.

De la même façon, pour Aurélie, trois ans et demi, le mot « ascenseur » était uniquement attaché à l'ascenseur de la même tour Eiffel. Il ne pouvait pas qualifier tous les autres ascenseurs. C'est sans doute pourquoi la fillette avait été si perturbée lorsqu'elle s'était trouvée devant l'ascenseur de l'immeuble de son accompagnateur, après sa promenade sous la tour Eiffel. Se trouver devant un autre ascenseur que celui de la tour Eiffel, alors que pour elle, il n'en existait qu'un – ce dernier –, il y avait de quoi éprouver un certain malaise !

Catherine Paysan, évoquant l'acquisition des mots abstraits pendant l'enfance, parle des « mots charrieurs de concepts mystiques, de symboles désincarnés, qui [l']éloignaient de cette sensualité rassurante et chaude des formes charnelles de l'univers[16] ». Christiane Singer, de son côté, parle de l'enfance éclairée des facultés chamaniques du tout-petit, « aussi longtemps du moins que l'intrusion prématurée de l'abstraction [...] ne vient pas la dévaster[17] ». Toujours à propos du contact avec les mots, l'écriture, qui fait entrer en jeu le geste et la motricité, est, après la parole, source de plaisir, d'un plaisir intense parfois, dans la mesure où elle est aussi une expérience sensorielle.

Apprendre à décrypter les signes, symboles de la parole et parole muette, est une découverte enthousiasmante. Irène

Frain décrit merveilleusement comment, alors qu'elle apprenait à lire avec sa mère, elle a tout à coup compris que le signe qu'elle voyait sur la page, sous l'image de son livre de lecture, était le nom même du garçon représenté sur cette image, Toto. « À la seconde, le petit garçon [...] se retrouve ligoté aux ronds et aux bâtons dessinés en dessous. » C'est ainsi qu'elle parvient à déchiffrer que Toto est une « tête de lard », une « tête de mule ». « Totoaététu » disait en effet le texte[18].

Que le bébé dévore les livres au sens propre du terme est une autre affaire ! Un des premiers moyens de connaître le monde consiste en effet pour les tout-petits à goûter ce qui leur tombe sous la main. Des observateurs attentifs, adeptes de la lecture faite très tôt aux enfants, ont remarqué à quel point les bébés semblaient apprécier de cette façon les livres qui étaient à leur portée[19]. Après avoir cherché le « bon coin » pour entamer le livre dont ils se sont saisis, ils mâchonnent le papier avec une véritable jubilation. Ils émettent en même temps des vocalises, signe du plaisir qu'ils prennent. Mais les bébés ne mettent-ils pas indifféremment dans la bouche tout ce qu'ils peuvent attraper ? Plus tard, ils dévoreront peut-être des livres, mais ce sera par les yeux...

Jongler avec les mots

Si les mots ont un pouvoir, l'enfant plus grand s'amuse aussi à exercer son pouvoir sur eux. Lorsqu'il en a la maîtrise, il se plaît à les manipuler, leur faisant par exemple dire autre chose que ce qu'ils sont censés dire. Ainsi, le chien est dit chat, la table est dite chaise. L'enfant glisse d'un mot à l'autre, il fait rimer les mots, les découpe, en compose d'autres par associations. De cette façon, il se les approprie. Il en invente aussi. Il fait d'ailleurs souvent de l'humour.

L'enfant aime les histoires drôles et les devinettes. Toutefois, un mot à lui qui fait sa jubilation peut perdre tout attrait s'il est corrigé par l'adulte. Ainsi en est-il pour le jeune Michel avec le mot « reusement », qui jaillit spontanément quand il est heureux, le jour où quelqu'un lui fait observer que c'est « heureusement » qu'il faut dire[20].

Il y a aussi de la magie dans l'évocation de mots que l'on ne connaît pas vraiment, et auxquels on donne un ou des sens imaginaires. Les sonorités comptent aussi. Certaines provoquent un véritable enchantement. Et puis il y a les images qu'appellent certains mots et qui font rêver. N'est-il pas plus parlant pour un enfant d'entendre « dessins allumés » plutôt que « dessins animés », dans la mesure où il privilégie la lumière sur l'animation ? Ou « illuminé » au lieu de « éliminé » ? Relatant son enfance au Maroc, Anne Bragance raconte que, quand on parlait d'îles flottantes au dessert, elle voyait de petites îles flotter à la surface de la mer[21]. Elle a conservé cette image jusqu'à l'âge adulte tant elle l'enchantait.

Chaque fois que, à propos de quelqu'un de dépressif ou qui s'ennuyait, sa mère employait l'expression : « Il est comme une âme en peine », une fillette comprenait « comme une arapède », coquillage qu'elle avait l'habitude de ramasser sur les rochers quand elle était en vacances. Cela la satisfaisait jusqu'au jour où, adulte, elle s'aperçut de sa méprise. Pourtant, elle ne parvint pas à abandonner la signification première, qui avait un parfum d'enfance, et qu'elle continua à donner spontanément dans son for intérieur à cette expression.

Les enfants, très pragmatiques, adaptent ce qu'ils entendent de nouveau à ce qu'ils connaissent déjà. Un jour, une petite fille revient de l'école et déclare à ses parents d'un ton impérieux à la fin de chacune de ses phrases :

C'est clarinette !

Claire, six ans

Les parents, surpris et perplexes, demandent à la fillette ce que cette expression veut dire. De plus en plus autoritaire, celle-ci se contente de réitérer sa déclaration. C'est le lendemain seulement que, en interrogeant la maîtresse, les parents ont enfin la clé de l'énigme. Cette dernière leur confie en effet qu'elle a l'habitude de conclure ses démonstrations par : « C'est clair et net ! »

C'est ainsi la sonorité des mots, surtout ceux dont ils ne saisissent pas bien le sens, que les enfants captent en premier. Toute personne qui fréquente de jeunes enfants a de nombreux exemples de ces équivalences phonétiques : « Sonnez l'Hématine » pour « Sonnez les matines », ou « J'ai du rouge à lèvres » pour

« Jérusalem[22] ». Camille, quatre ans et demi, à qui l'on vient de dire : « Tu exagères ! », répond, vexée : « Non, je suis pas xagère. » Juliette, cinq ans, demande : « Tu me fais licite ou tu me fais pas licite[23] ? »

J'ai les cheveux en pétales.

Jeanne, cinq ans

La fillette veut naturellement dire : « les cheveux en pétard ». Elle explique aussi que sa grand-mère a un manteau « en fou rire ». Quant à Marc, qui a mal aux oreilles, il dit que sa mère va l'emmener chez l'« otorhinocéros ».
À l'époque où Moshe Dayan, ministre de la Défense nationale de l'État d'Israël, apparaissait à la télévision française avec un bandeau noir sur un œil, Isabelle, qui avait alors sept ans, racontait très sérieusement qu'elle avait vu à la télé « Amoché d'un œil »...
Quelquefois, le sens donné par l'enfant à certains mots a un rapport avec la racine de ce mot. Ainsi, pour Marie Rouanet, « poitrinaire » désignait en toute logique une petite fille « qui a de la poitrine[24] ». Pour le Milou d'*Enfantines*, l'« usufruit est une pomme qui est tombée dans l'herbe et qui pourrit, toute ratatinée et fendue[25] ». Il est toujours utile, quand il y a un doute, d'interroger l'enfant sur ce qu'il a exactement compris, même si, apparemment, il semble connaître le sens d'un mot ou d'une expression. On pourra de cette façon rectifier certaines définitions, mais surtout, faire de jolies découvertes !

Les enfants utilisent volontiers des métaphores, des mots qui sont fondés sur des comparaisons – par exemple « éplucher » pour « déshabiller » – ou des analogies. Ainsi, Jeanne, qui a cinq ans, dit qu'elle n'aime pas la « mine » du pain ou qu'elle a une « lampe » au pied. Léa, qui a trois ans, comparant deux jouets en caoutchouc, dit de l'un d'eux qu'il est plus « mûr » que l'autre parce qu'il est plus mou. Annie, trois ans également, demande qu'on la « décroche » de sa chaise haute. Un autre enfant parle du « démariage » des parents de son camarade. Les enfants sont d'une logique implacable.

Par les analogies, l'enfant ramène l'inconnu au connu, ce qui lui permet de désigner les objets nouveaux par des phénomènes et des mots de son répertoire. Ainsi, un petit garçon explique :

Les canards sont des oiseaux qui ont des parapluies aux pattes.

Brice, quatre ans

Un autre enfant de la campagne demande, à propos du boulanger qui livre le pain à domicile :

Est-ce que le facteur de pain est déjà passé ce matin ?

Christophe, quatre ans et demi

Un petit garçon refuse de mettre son bermuda en protestant :

J'veux pas mettre de pantalon à manches courtes !

Romain, trois ans et demi

Outre les charmantes images verbales que ces analogies permettent à l'adulte d'entendre, celles-ci lui révèlent la vision qu'a l'enfant du monde qui l'entoure, vision non encore censurée ou édulcorée par la société et la culture. Ainsi cette remarque d'un enfant qui, parlant des maisons d'une cité, dit qu'elles sont toutes « recopiées[26] ».

Les enfants sont friands des jeux de mots et des calembours qu'on leur sert à foison dans les spectacles de Guignol, par exemple. Ils en font d'ailleurs eux aussi. Ils aiment les répétitions, les litanies, le ressassement. C'est pour eux comme un bercement. « Une gare, deux gares, trois gares, quatre gares, cinq gares, cigares ! » « Pie un, Pie deux, Pie trois, Pie quatre, Pie cinq, Pie six, pissette[27] ! » C'est pour eux une véritable jubilation.

Il convient par ailleurs de faire quelques remarques sur la compréhension qu'ont les enfants du discours des adultes. Toujours très pragmatiques et ne connaissant pas encore toutes les expressions, souvent métaphoriques, utilisées par les grandes personnes, ils ont tendance à prendre au pied de la lettre ce qu'ils entendent. Ils ont une compréhension littérale des mots.

C'est ainsi que certains mots ou locutions peuvent devenir des « chausse-trapes » pour l'enfant qui n'en connaît pas encore le sens. Michel Leiris [28] donne l'exemple des madeleines qui, pour lui, étaient des gâteaux qui pleurent à cause de l'expression familière « pleurer comme une Madeleine ».

Ainsi également cette maman qui, parlant de son propre père, déclare un jour qu'il a perdu la tête. Peu de temps après, le grand-père de l'enfant meurt. Et l'enfant de demander à sa mère : « Maman, quand tu seras morte, est-ce qu'on te coupera la tête aussi ? »

C'est ainsi également que des expressions telles que « Il s'est endormi » ou « Elle est allée au ciel » pour dire qu'une personne est morte peuvent être comprises par les enfants au sens littéral. Si l'on dit par exemple à un enfant : « Maman est partie pour un long voyage », il peut ressentir de la colère ou éprouver un sentiment d'abandon parce que sa mère ne l'a pas emmené avec elle. Il peut aussi se sentir coupable, car si elle est partie, c'est sans doute parce qu'il a fait quelque chose de mal. Il peut enfin nourrir l'illusion qu'elle va revenir. Les enfants prennent souvent ce que disent les grandes personne « pour argent comptant » (encore une expression métaphorique !). Bien souvent les adultes ne s'en rendent pas compte. Excepté dans le cas où ils posent des questions, les enfants laissent rarement paraître une réaction, mais ce qu'ils ont compris – de travers – du propos des adultes fera son chemin. Et quel chemin ! Aussi est-il prudent d'être attentif à ce que les enfants ont l'occasion d'entendre et, en tout cas, d'être à l'écoute de leurs réactions éventuelles.

Jules, un garçon de six ans, a entendu sa mère dire qu'elle désirait être incinérée après sa mort. Il n'a pas compris le terme mais n'en a rien dit. Alors que, quelque temps après, il est dans la cuisine avec sa sœur aînée, il lui demande ce que veut dire le mot incinérer. Elle le lui explique. Jules alors de s'exclamer, regardant le four : « Mais maman, elle n'y rentrera jamais ! » Comme pour la tour ou l'ascenseur des fillettes de tout à l'heure, pour Jules, le mot « four » ne renvoie pas au concept général de four, mais seulement à l'appareil qu'il connaît. Ce n'est qu'en grandissant que l'enfant prendra de la distance pour passer peu à peu à une pensée plus abstraite.

Jules n'a bien sûr pas compris pourquoi ses parents ont éclaté de rire quand sa sœur leur a raconté l'anecdote. Quand on le lui a expliqué, il s'est trouvé tout penaud. Sauf s'ils plaisantent – ce qui se voit tout de suite d'après leurs mimiques –, les enfants sont en général très sérieux quand ils parlent. Absorbés par la compréhension et le maniement du langage, ils ne font pas pour le plaisir ce qui peut apparaître comme de bons mots. Dans leur réflexion et leur expression, ils se réfèrent constamment à ce qu'ils connaissent déjà, et ils sont guidés par une logique stricte. C'est pourquoi il serait préférable que les adultes ne rient pas en leur présence. L'enfant n'ayant pas voulu être drôle, ce rire pourrait le blesser, voire le décourager. Puisqu'ils ne sont pas encore vraiment installés dans la réalité, tout est possible pour les jeunes enfants. Ils interprètent les informations qu'ils reçoivent à l'aide de ce qu'ils connaissent déjà. Il ne leur vient pas à l'esprit de vérifier ensuite si le résultat obtenu est compatible ou non avec la réalité. Ils n'en éprouvent pas le besoin, et cela n'a sans doute guère d'importance à leurs yeux. À partir d'un certain âge cependant, ils se posent des questions. Anne Bragance raconte que, lorsqu'elle entendait à la radio la retransmission de matchs de rugby, elle se demandait à chaque fois pourquoi l'on s'en prenait toujours à ce pauvre « Suivre ». Le commentateur prononçait en effet de temps en temps la formule : « Coup de pied à suivre [29] » ! Il est vrai que seuls les initiés connaissent l'expression « à suivre » ! Ce n'était pas le cas de l'enfant. Persuadée que « Suivre » était un individu qui n'avait pas de chance, la fillette n'avait pas pensé à poser de question à ce sujet.

Il n'est pourtant pas nécessaire de s'obliger à ne prononcer devant les enfants que des mots qu'ils connaissent. Les adultes s'inquiètent toujours de savoir si les enfants comprennent. Ils oublient que les enfants cherchent avant tout à savoir, et que cette « quête de savoir est instinctive ». Quoi qu'on dise, quoi qu'on explique à l'enfant, il continuera à chercher. Sa soif de découvertes n'est pas « apaisée par des idées. Elle a besoin de vivre [30] ». Comment, par ailleurs, l'enfant apprendrait-il un vocabulaire nouveau s'il n'entendait que des mots qu'il connaît déjà ? Et puis, il y a tant de mystère dans les mots que l'on ne connaît pas, en particulier s'ils sont difficiles ! Il serait dommage d'en priver l'enfant, et de nous priver, nous, de ses jolis mots.

POURQUOI C'EST PAS PAREIL ?

Les enfants sont très tôt sensibles aux différences, c'est-à-dire à ce qui est « pareil » ou « pas pareil ». Un des premiers mots d'une fillette d'à peine plus de douze mois était le mot « même » (voir « C'est quand demain ? », p. 82), qu'elle prononçait avec vigueur et enthousiasme en montrant le haricot vert qu'elle venait de saisir dans son assiette parmi d'autres.

Les ressemblances plus évidentes que les différences

En fait, le petit enfant est surtout sensible à ce qui est pareil. Pour se rendre compte, à l'inverse, de son aptitude à percevoir ce qui est différent, un test consiste à lui présenter des séries de dessins, d'abord des formes géométriques, puis des objets courants tous identiques, sauf un[31]. Il a pour consigne de désigner dans chaque série le dessin qui n'est pas « le même ». Ce n'est qu'à partir de quatre ans et demi environ qu'il est capable de détecter, au milieu de figures identiques, celle qui n'est pas pareille aux autres.

On connaît chez le tout-petit – aux environs de huit mois – ce que les psychologues appellent la peur de l'étranger. Il s'agit de la terreur qui s'empare du petit enfant lorsqu'il voit apparaître une personne inconnue. En effet, dès cet âge, l'enfant a la capacité de faire la différence entre visages connus et inconnus. Mais s'il est effrayé devant un visage inconnu, c'est sans doute plus parce qu'il ne voit pas revenir sa mère ou sa nourrice que parce qu'il voit apparaître un visage étranger. Sans elles, il se sent perdu. L'attachement du bébé à sa mère et/ou à la personne qui s'occupe de lui est en effet profond, et si celles-ci disparaissent, il peut ressentir la crainte de les avoir perdues, crainte qui a des racines très anciennes. Ainsi, il est troublé par l'absence du « même » plutôt que par la survenue du « différent ».

L'enfant est malgré tout attentif aux différences. Quand il est très jeune, elles le déconcertent et lui font peur, car elles sont pour lui la manifestation de l'inconnu. Nous avons déjà parlé du malaise que peuvent ressentir de jeunes enfants lorsqu'ils découvrent des lieux nouveaux, en particulier à l'occasion des vacances et, surtout, des déménagements. Évoquons aussi simplement le refus de la plupart d'entre eux de goûter des aliments nouveaux, même une bouchée. Avoir tous les jours le même menu ne les dérange pas, au contraire. Pâtes, jambon, banane à tous les repas, cela leur va très bien. Ils aiment aussi qu'on leur « serve » toujours... les mêmes histoires, sans en changer un seul mot ou une seule intonation.

Les différences qui ne comptent pas

Plus âgé en revanche, l'enfant éprouve une véritable curiosité devant les différences. Françoise Dolto raconte que, enfant, elle était « très à l'affût de ce qui fait les différences [32] ». Il s'agissait en l'occurrence des différents styles de vie chez elle et chez ses grands-parents. Ainsi, écrit-elle, « du côté de ma mère, il y avait des domestiques et, du côté de mon père, les femmes faisaient elles-mêmes la cuisine [...]. C'était la seule différence, la diffé-rence principale, vue par les enfants ».

Les enfants, poussés par un intérêt pour ainsi dire « scientifi-que », posent un grand nombre de questions sur les différentes façons de vivre. Il est intéressant de constater que ce qui frap-pait ici Françoise Dolto en terme de différences était la nourri-ture et les domestiques. En revanche, elle ne semblait pas concernée par la nature des conversations ou la personnalité des membres des deux familles, non plus que par la différence sociale.

Il est vrai que les jeunes enfants remarquent avant tout les différences qui se voient. Les différences profondes, radicales, les impressionnent peu, à commencer, comme nous venons de le voir, par les différences sociales. Alain Gillis, qui s'est sérieu-sement interrogé, au seuil de ses treize ans, sur la différence entre son meilleur ami et lui, se souvient :

La question sociale m'était alors bien égale. Ce qui m'ap-paraissait d'abord était la diversité des manières et des postures.

Alain Gillis

Son ami venait d'un milieu moins aisé que le sien. Néanmoins, ce qui faisait la différence pour lui n'était pas l'écart entre leurs milieux, mais le fait que son ami jouait du violon et lui pas.

C'était aussi le fait qu'il rêvait d'un cabriolet décapotable, alors que son ami avait sans cesse l'air préoccupé par de sombres pensées. La différence résidait encore dans la démarche de cet ami, dans sa nuque rasée, dans ses grosses oreilles ourlées de rouge, dans ses cuisses enserrées par l'ourlet de ses culottes.

C'était l'*autre* par excellence. [...] Je faisais l'expérience de la différence pure entre deux humains. Qu'on ne soit pas tous, tous les humains, identiques ou à peu près, était pour moi une question encore vive. Ça n'allait pas de soi que les gens soient différents[33].

Alain Gillis

De la même façon, une fillette demande avec un certain désarroi :

Pourquoi tout le monde n'est pas pareil ?

Julie, dix ans

Il a été facile de lui montrer que, d'abord, il est impossible que tout le monde soit pareil étant donné que l'on a des parents différents, qui élèvent leurs enfants chacun de façon différente dans des milieux différents. Et puis, dès la naissance, aucun individu n'est identique à un autre, même chez les frères ou les sœurs, même chez les jumeaux. Enfin, la vie serait bien monotone si tous les humains étaient identiques.

À partir de quatre ans, les enfants se rendent compte de leurs différences par rapport aux autres. « Quand un enfant de quatre ans rencontre pour la première fois un autre enfant, il l'examine soigneusement. Puis, il peut se toucher les cheveux et le visage pour s'assurer de ses propres avantages. Quand les deux enfants jouent ensemble et qu'ils deviennent plus familiers, ils expriment leur curiosité : "Pourquoi tes cheveux sont jaunes ?" "Est-ce que je peux les toucher ?" "Pourquoi ta peau est noire ? est-ce que tu l'as coloriée ?"[34]. »

En fait, c'est surtout leur propre différence qui inquiète les enfants de quatre-cinq ans : « Pourquoi je suis pas pareil ? » « Est-ce que c'est bien d'être pas pareil ? » « Est-ce qu'on va m'aimer si je suis pas pareil ? »

Une fillette de six ans demande avec anxiété, la veille d'une opération du cœur, si ses parents vont continuer à l'aimer comme avant l'intervention, parce qu'elle aura un cœur différent.

En fait, ce qui est bien, c'est d'être comme les autres, en particulier ceux qu'on admire – un parent ou un instituteur. L'enfant, qui n'a pas encore une identité bien constituée, cherche en effet à s'identifier à ceux qu'il côtoie.

Plus jeune, l'enfant remarque les différences de goûts, d'aspect et de manières, mais elles ne le dérangent pas. En revanche, au seuil de l'adolescence, les différences lui apparaissent plutôt comme des divergences. Il aimerait tant alors être comme l'autre, ou que l'autre soit son *alter ego*, son double. Une fois la diversité des « manières et des postures » perçue comme une disparité, elle dérange. Les adolescents s'ingénient à tout uniformiser, qu'il s'agisse de leurs tenues, de leurs activités, de leurs loisirs ou de leurs goûts.

La différence des sexes

S'il est une différence radicale, c'est bien celle des sexes. Les enfants la perçoivent comme une donnée factuelle, intangible, qui n'est pas à remettre en question.

Il me semblait que femme ou homme était une opposition parmi d'autres [35].

Amélie Nothomb

Je trouvais gênant et inutile d'échanger des impressions et des idées à propos de la différence entre les hommes et les femmes. La différence était là, elle nous regardait depuis toujours, tout le monde en parlait et, une chose était sûre, un jour ou l'autre on se trouverait en situation de la célébrer, nous aussi [36].

Alain Gillis

À notre connaissance, les enfants posent rarement la question de savoir pourquoi il y a des hommes et des femmes. Et quand ils le font, c'est la plupart du temps pour parler d'autre chose.

Pourquoi il y a des filles et des garçons ?

Marie, sept ans

Les interrogations de la fillette, comme l'a constaté par la suite son interlocuteur, très à l'écoute, portaient plutôt sur le fait de savoir : « Pourquoi je ne suis pas un garçon ? » Cette question est fréquente chez les filles, le fait d'être un garçon ayant été longtemps valorisé. On retrouve moins le pendant chez les garçons : « Pourquoi je suis un garçon et pas une fille ? » La question de Marie montrait peut-être aussi, puisqu'elle commençait à s'intéresser aux garçons, sa curiosité à propos des relations entre garçons et filles.

Les enfants posent surtout des questions sur les personnes du même sexe qu'eux, ce qui semble naturel puisqu'ils sont en train de se construire et ont besoin de modèles. Ainsi Béatrice, trois ans et demi, demande-t-elle à sa mère : « Pourquoi t'es une femme ? » Quelque temps après, elle lui demande encore : « Pourquoi tu as de la poitrine ? » À l'évidence, la fillette cherche à savoir comment on devient une femme, et comment elle va faire pour avoir de la poitrine et être comme sa mère. Un certain sentiment d'envie pointe d'ailleurs dans sa question. Marion, un peu plus âgée, demande : « Pourquoi je suis une fille ? » Cette question procède des préoccupations déjà évoquées : « Pourquoi je suis une fille et pas un garçon ? » « J'aurais peut-être aimé être un garçon. » « Quand on est une fille, comment on fait pour devenir une femme ? » « Quand on est une fille, comment on fait avec les garçons ? » « Est-ce que je trouverai moi aussi un mari ? »

Pour répondre à de telles interrogations, quelques explications « scientifiques » à propos des spermatozoïdes et des ovules qui se rencontrent et fusionnent, voire sur les particularités anatomiques de l'un et l'autre sexes peuvent se révéler utiles, surtout lorsque l'enfant demande :

Pourquoi les hommes sont pas pareils que les femmes ?

Maurice, six ans et demi

Il est aussi bienvenu d'insister sur l'amour qui réunit hommes et femmes pour donner vie à un enfant. Toutefois, l'enfant attend avant tout de la part de ses parents, en particulier de celui du même sexe que lui, des propos personnels. Il attend que son père ou sa mère, sans faire de confidences trop personnelles, lui parle de lui ou d'elle : comment étaient-ils quand ils avaient son âge ? Que pensaient-ils ? Que croyaient-il ? Comment sont-ils devenus ce qu'ils sont maintenant ?

L'enfant posera certainement alors d'autres questions. Il pourra demander, par exemple, comment ses parents se sont rencontrés. En fin de compte, la différence des sexes ramène toujours à la question des origines. C'est parce que nous avons un père et une mère que nous avons été conçus, eux-mêmes ayant eu des parents de sexe différent, et ainsi de suite. Peut-être l'enfant parlera-t-il de ses angoisses, par exemple, si c'est un petit garçon, de la peur de voir disparaître son pénis, peur latente chez les garçons ? Il sera alors plus facile de le rassurer en lui expliquant que le sexe des êtres vivants est établi une fois pour toutes, et en répondant à ses questions.

Ces échanges réconfortent l'enfant car il se sent compris. En outre, il se rend compte que d'autres, des personnes qu'il admire et en qui il a entière confiance, ont vécu les mêmes expériences que lui et peuvent lui tracer la voie. Il est probable qu'expliquer à Marie, qui demandait pourquoi il y a des filles et des garçons, que c'est pour peupler la terre ne lui suffira pas. L'enfant a d'autres attentes, beaucoup plus personnelles et affectives. Une question cependant peut laisser perplexe :

Quand est-ce que je vais devenir un garçon ?

Cécile, sept ans

La mère de Cécile s'est aussitôt écriée : « Mais tu ne deviendras jamais un garçon ! » Pourquoi la fillette a-t-elle posé cette question et que signifie-t-elle à ses yeux ? Cela reste à élucider à travers l'histoire personnelle de l'enfant et de sa famille, et doit demander une grande attention. Elle est en tout cas peu banale, la différence des sexes à la naissance étant, nous l'avons dit, une notion en général bien établie chez les enfants. Étrangement, bien qu'elle soit le plus souvent connue du point de vue physiologique par les jeunes enfants, la différence entre garçons et filles reste fondée sur d'autres critères : les vêtements, les couleurs (rose pour les filles, bleu pour les garçons), la longueur des cheveux, entre autres. On peut vraiment dire ici que l'habit fait le moine... Malgré l'évolution des mœurs, ces critères restent très classiques, ce qui montre l'attachement des enfants à certains stéréotypes : la robe et les cheveux longs pour les filles ; le pantalon et les cheveux courts pour les garçons.

L'enfant est à même de constater la différence des sexes dès l'âge de dix-huit mois, s'il a l'occasion de voir ses parents nus – ce qui est à déconseiller selon certains spécialistes de la petite enfance, dont Françoise Dolto –, mais surtout s'il a l'occasion d'observer d'autres enfants : frères et sœurs éventuels, cousins et cousines. Il pose alors des questions sur « en avoir ou pas », ou fait des remarques sur les organes génitaux de l'autre sexe.

Vers trois ans, quand l'enfant sait s'exprimer, viennent les questions du petit garçon à sa mère : « Quand je serai grand, je me marierai avec toi ? » ; et de la petite fille à son père : « Tu te marieras avec moi quand je serai grande ? » À ces questions, les parents répondent évidemment que c'est impossible parce qu'ils sont déjà mariés, ou parce qu'on n'épouse pas un petit garçon ou une petite fille, mais avant tout parce qu'on ne peut en aucun cas se marier avec une personne de sa famille. Quand ils seront grands, les enfants devront trouver quelqu'un d'autre comme femme ou mari.

Le respect des conventions

Avant de partir aux sports d'hiver, une mère fait essayer à son petit garçon de quatre ans sa tenue de ski. Elle commence par lui faire enfiler une paire de collants de laine, puis un pantalon. « Je veux pas faire du ski », déclare alors l'enfant. L'essayage continue et l'enfant répète tout au long : « Je veux pas faire du ski. » Sa mère lui explique alors que, s'il tombe dans la neige, il ne se fera pas mal. Et puis c'est très amusant les boules de neige, les petits camarades, etc. L'enfant continue à dire : « Je veux pas faire du ski. » À bout de ressources, sa mère lui dit que s'il ne veut vraiment pas faire de ski, ce n'est pas grave. Elle ira se promener avec lui ; il fera de la luge, etc. « Je ne veux pas faire du ski », répète le petit garçon. Puis, finalement, il ajoute : « Je ne veux pas être une fille. Je ne veux pas être habillé comme une fille. » Le problème vient des collants. L'enfant refuse de porter des collants comme une fille, donc d'être une fille. La moralité de cette histoire est que les vraies raisons, quand il s'agit d'enfants, ne sont pas toujours celles que l'on croit.

Les différences ethniques

Comme pour les différences sociales, le jeune enfant, qui pourtant les remarque d'emblée, ne semble pas attacher d'importance aux différences de race, de couleur, de pays d'origine. Quand il voit quelqu'un qui n'a pas la même couleur de peau que lui, par exemple, il est surpris et le montre, mais il ne cherche pas d'explication et, surtout, il ne porte aucun jugement de valeur. Le cas des enfants qui appartiennent à des minorités ethniques ou raciales est sans doute autre : étant donné leur situation et ce que leur renvoie leur famille, ils sont plus attentifs et davantage sur leurs gardes en ce qui concerne *leur* différence.

Ainsi ce garçon de dix ans cité par Nicole Fabre[37], qui, à plusieurs reprises au cours d'une promenade avec un groupe d'enfants en vacances, se retourne sur un chien qu'il vient de croiser en disant : « C'est quoi sa race ? » Sans attendre la réponse, il ajoute : « Il est pas beau ! » Ce garçon se trouvant être le seul enfant noir du groupe, cette question et ce jugement étaient sans doute le reflet d'un malaise ressenti à propos de sa propre différence.

Le racisme est complètement étranger aux enfants de moins de quatre-cinq ans. N'étant pas encore perméables aux idées qui courent dans leur milieu ou dans la société dans laquelle ils vivent, ils se comportent comme si les êtres humains étaient génétiquement programmés pour être blancs, noirs (marron, comme le disait un enfant) ou jaunes, de la même façon que certains ont les yeux bleus et d'autres les yeux marron, des cheveux blonds ou bruns. Certains enfants pensent même que l'on peut changer de couleur de peau au cours de sa vie.

Quand j'étais chinoise...

Carole, cinq ans

Cette petite fille était persuadée qu'elle l'avait été bébé, car elle avait entendu un photographe dire qu'elle avait des yeux de Chinoise.

Une autre enfant disait : « Quand je serai noire, je ferai ceci et cela. »

Dans un pays d'Afrique, une petite fille blanche traversait un parc avec son père. Il y avait évidemment des personnes noires partout. Le père s'attendait à ce que sa fille, surprise à la vue de toutes ces personnes qui n'avaient pas la même couleur de peau qu'elle, l'interroge à ce sujet. Au lieu de quoi l'enfant demanda pourquoi... tous ces gens étaient pieds nus.

La notion même d'étranger n'existe pas pour le jeune enfant. Amélie, qui a cinq ans et demi et vient d'entrer au cours préparatoire, revient chez elle un jour en disant que, dans sa classe, il y a une petite fille étrangère. Ses parents lui demandent alors de quel pays vient cette petite fille. « Elle vient de la France », répond Amélie. « Alors pourquoi dis-tu qu'elle est étrangère ? – Parce qu'elle parle une autre langue. » Nous voyons bien là que, pour Amélie, le mot « étranger » n'a pas le sens de celui qui n'appartient pas au même pays, qui ne fait pas partie de la même communauté, qui est d'ailleurs. En ce qui concerne la petite fille de sa classe, il n'y a pour Amélie qu'une question de langue que l'on ne comprend pas. Cette enfant n'est pas différente. Seule sa langue l'est.

Les différences physiques : les infirmités

Autre différence : le handicap. Le regard des enfants sur les personnes handicapées est là encore dénué de tout sentiment – dépréciation ou pitié. Il est objectif. Comme pour tout ce qu'ils voient de nouveau, les enfants sont seulement très curieux. Ils regardent avec insistance, font des remarques personnelles et posent des questions du genre : « Qu'est-ce qu'il a celui-là ? » Leurs observations faites à haute voix, comme leurs questions, mettent souvent leur entourage dans l'embarras, mais on ne peut leur en tenir rigueur car ils cherchent simplement à s'informer.

Les jeunes enfants peuvent en revanche être effrayés par certaines infirmités : « Il a une jambe cassée. Est-ce que je vais avoir la même chose ? » « Elle a une tache sur la joue. Est-ce que ça va m'arriver si je renverse mon jus de fruit[38] ? » De fait, les enfants pensent souvent que l'infirmité observée est la punition d'une faute. En conséquence, toute bêtise peut provoquer la peur de devenir infirme. Il faut alors leur expliquer qu'on ne devient pas handicapé par contagion ou à la suite d'une « méchanceté ».

L'enfant n'imagine pas que ses commentaires peuvent blesser les personnes concernées, car pour lui, malgré leurs particularités, elles n'ont pas une valeur moindre que les autres. Il suffit de lui expliquer que, justement, elles ne se sentent souvent pas comme les autres. De ce fait, elles n'apprécient peut-être pas que l'on fasse remarquer leur différence.

Les différences d'âge

Les différences d'âge préoccupent beaucoup les enfants. Les questions qu'ils posent à ce sujet renvoient aux comparaisons entre eux, aux problèmes liés au rang dans la fratrie, aux privilèges des uns et des autres, à la force ou au savoir-faire comparés des uns et des autres, à la rivalité. Mais leur importance tient surtout au fait qu'elles ont valeur, pour l'enfant, d'interrogation sur sa vie en cours d'évolution. Plus grand ou plus petit ? À quel stade en est-il ? « Quand je serai grand... » « Quand j'étais petit... » : l'enfant cherche où est sa place. Il cherche à se situer par rapport aux autres et à situer ceux qui l'entourent les uns par rapport aux autres. Dans cette perspective, les tailles et les âges respectifs sont très importants. Agnès, qui est la dernière d'une fratrie de trois, demande :

Est-ce que Julie est petite ?

Agnès, quatre ans

Julie est de deux ans son aînée et la deuxième de la fratrie. Cette question, qui peut paraître étrange, signifie en fait : est-ce que Julie entre dans la catégorie des petits, dont Agnès fait partie, ou, au contraire, entre-t-elle dans la catégorie des grands, dont fait partie sa sœur aînée ? Dans ce dernier cas, Agnès serait seule parmi les petits. Dans le premier cas, en revanche, elles seraient deux petites contre une grande. Agnès accepte mal d'être la dernière enfant de la famille. Si sa sœur Julie était, comme elle, petite, elle-même ne serait plus la petite de la famille, c'est-à-dire « la » petite. La question d'Agnès est donc intéressée.

Il faut dire également qu'être petit signifie être encore un enfant, voire un bébé, par opposition à ceux qui ne le sont plus. Par conséquent, peut-être Agnès veut-elle simplement savoir si Julie doit être considérée comme faisant encore partie de la catégorie des enfants. En fait, les qualificatifs « grand » et « petit » impliquent rarement une comparaison entre les tailles ou les âges. Ils indiquent plutôt l'appartenance à des catégories différentes.

Pourquoi Antoine est mon grand frère ?

Mathilde, quatre ans et demi

Le fait que son frère, comme on le lui explique, est né avant elle ne lui suffit pas comme explication. Que cette place enviable ait été attribuée à son frère plutôt qu'à elle tient en quelque sorte de l'injustice. Son idée, c'est qu'un jour elle rattrapera son frère. Elle ne comprend pas pourquoi c'est impossible. Nous avons vu en effet que les enfants acquièrent tard la notion d'un temps unique pour tous (voir « C'est quand demain ? », p. 80).

Pour les enfants jeunes, être petit et être grand sont des notions absolues. Comprendre que, jusqu'à l'âge adulte, on est toujours petit par rapport à des plus grands, et grand par rapport à des moins grands, est quelque chose de difficile. Cependant, peu à peu, avec l'âge, l'idée fait son chemin. Quand on entre à l'école maternelle, on est grand en comparaison des « bébés » qui sont à la crèche. Quand on entre au CP, on est grand par rapport aux enfants de maternelle. Lorsqu'on intègre la classe de 6ᵉ, ceux du primaire sont les petits, et ainsi de suite.

Il est vrai aussi que plus on est jeune, plus on est fragile et plus on doit être protégé. Les jeunes enfants en sont tout à fait conscients et, quoi qu'ils disent, ils sont ravis d'avoir des grands frères ou des grandes sœurs pour prendre leur défense, les aider ou leur montrer ce qu'ils ne savent pas faire. Le plus important est que, quel que soit son âge, l'enfant puisse se sentir grand, qu'à chaque stade de son évolution il puisse être fier de sa situation, de ses réalisations, de ses progrès.

Ainsi, quand naît un petit frère ou une petite sœur, l'aîné devient un grand. De même quand il nage pour la première fois sans bouée dans la mer, alors qu'il n'a pas pied (qu'il ne va pas à pied, comme disait une fillette de cinq ans), quand il entre au cours préparatoire et sait écrire son nom, quand il réussit à faire un gâteau ou à aller chercher le pain tout seul. C'est pour cela qu'il est important de laisser l'enfant faire les choses seul quand on sait qu'il en est capable. La fierté et l'assurance qu'il en retirera récompenseront la patience consacrée à surveiller les opérations.

À tous les stades de son développement, un enfant peut se sentir grand, depuis le tout-petit qui se lance et fait ses premiers pas jusqu'au plus grand qui parvient à faire pour la première fois quelque chose de nouveau. L'enfant a seulement besoin d'être encouragé et admiré, telle Margot qui, ayant terminé son assiette de salade verte comme son grand frère, s'écrie triomphante :

On a tout mangé. On est des hommes !

Margot, cinq ans

L'enfant sera déçu, voire découragé dans ses entreprises futures si on l'aide alors qu'il est sur le point de faire quelque chose seul. On lui enlève de la sorte le succès de son entreprise. D'ailleurs, les enfants au tempérament volontaire insistent toujours pour qu'on les laisse faire tout seuls.

Avoir le statut de grand est valorisant pour un enfant. Cependant, celui de petit ouvre droit à des privilèges. En effet, les aînés envient souvent la place des « petits derniers », à qui, d'après eux, on passe tout et qui font des choses qu'eux-mêmes ne faisaient pas à leur âge. Selon les moments, l'enfant aimerait avoir l'un ou l'autre statut, voire les deux en même temps. C'est en réalité souvent ce qui arrive : l'enfant est à la fois petit et grand. Il est petit pour ses parents et pour ses instituteurs ou professeurs, qui le protègent et œuvrent pour son éducation et son instruction, et il est grand d'une part par rapport à lui-même plus jeune, puisqu'il grandit et fait sans cesse des progrès, d'autre part par rapport à d'autres enfants plus jeunes, plus petits ou plus faibles.

La plupart du temps, les enfants plus grands sont agacés d'être considérés comme petits ou grands par les adultes, selon les circonstances. Tel parent dira à son enfant : « Tu es grand maintenant » quand il veut l'inciter à être raisonnable ou à faire quelque chose qu'il refuse de faire. À un autre moment en revanche, il lui dira : « Tu es trop petit pour avoir ceci ou pour faire cela. » C'est le sens de la remarque d'un jeune garçon qui est hospitalisé[39] :

Les médecins, c'est comme ça : pour ce qui les arrange, on est grand ; mais si on veut décider quelque chose, et que ça ne les arrange pas, on n'a pas d'expérience.

Karim, onze ans

Dans le monde de l'enfance, les questions concernant les différences renvoient surtout au grand problème de la justice qui, pour les enfants, se place non pas au niveau des idées, mais essentiellement au niveau des avantages ou des privilèges censés être accordés aux uns plutôt qu'aux autres. Il s'agit là de problèmes constamment rencontrés par les adultes qui ont à « gérer » des communautés d'enfants, à commencer par la famille. « Pourquoi il a ça, et pas moi ? » « Pourquoi elle a le droit de faire ça, et pas moi ? » En fait, chez le jeune enfant, l'« avoir » est encore en grande partie l'« être ». Lui enlever ou lui refuser quelque chose qu'il pense devoir lui revenir, c'est un peu comme s'attaquer à son être même. En apprenant peu à peu à distinguer l'avoir de l'être, il deviendra moins vulnérable. Il ne suffit pourtant pas de rapporter ces manifestations de jalousie à de la rivalité entre frères et sœurs. Quand les enfants récriminent à propos de ce qu'ils pensent être une injustice à leur égard, c'est souvent l'amour des parents qui est en jeu. Ce que les autres ont et qu'ils n'ont pas, c'est une part d'amour qui leur a été volée. Quelques secondes avant de l'avoir vu dans les mains d'un autre, l'enfant n'avait parfois ni l'idée ni le désir de posséder l'objet maintenant convoité. Il a suffi qu'il s'aperçoive que l'autre l'avait pour qu'il ait envie de le posséder lui-même, et il crie à l'injustice parce que l'autre l'a et pas lui. Les déchirements qui surviennent assez fréquemment lors des partages entre héritiers adultes après la mort des parents ne sont rien d'autre que la reproduction de ce type de bagarre entre enfants à propos de celui qui recevra le plus d'amour de ses parents.

Il est à noter que les grandes différences d'âge n'émeuvent pas les jeunes enfants. Nous avons pu voir, à propos de l'évolution de la notion de temps, que les petits étaient très proches des personnes âgées. Cela est sans doute dû à la fragilité, à l'ouverture et à la disponibilité de ces dernières. Les jeunes enfants ne sont pas choqués par la vieillesse. Au contraire, ils sont pleins de tendresse et de curiosité à l'égard des personnes âgées. Là encore, ils sont objectifs et ne laissent rien passer dans la revue des handicaps qui accompagnent souvent le grand âge. Mais pour eux, ni ces handicaps ni la proximité de la mort ne sont effrayants. Les rides, les cheveux blanc, les lunettes, la canne, stéréotypes qui caractérisent les personnes âgées, n'empêchent pas celles-ci, la plupart du temps, de vivre bien, sans avoir à travailler, de bien manger, de faire du sport et de voyager.

On peut faire tout ce que l'on veut à la retraite.

Marion, dix ans

Barnabé, pour sa part, pense que le meilleur métier, c'est la retraite[40]. Le seul problème est qu'il faut attendre longtemps :

Il faut être hyper-vieux pour avoir le droit [de prendre sa retraite].

Barnabé, six ans et demi

Il faut savoir aussi que la notion de vieillesse peut être subjective chez le jeune enfant. Un sondage auprès de quatre cents enfants de dix à treize ans a montré qu'un tiers d'entre eux se sont sentis vieux en quittant la maternelle, en cessant de croire au Père Noël ou en redoublant une classe[41].

Excepté pour ce qui touche à sa rivalité avec ses pairs, le jeune enfant n'a pas d'*a priori* quant à ceux qui sont différents. Il ne porte pas de jugement ni d'appréciation sur les « dissemblables ». « Sa vision des choses est holistique. Même ce qu'il apprendra par la suite à nier, à rejeter dans la négativité, lui apparaît en ce temps d'égale signification. [...] Tout – fût-ce l'infirmité, la maladie, la folie et la mort – a pour lui sa place dans la plénitude du créé. [Il n'a] même pas de dégoût – tout lui est sujet d'observation, excréments, immondices, cadavres[42]. » Quelle leçon pour les adultes !

POURQUOI C'EST BEAU ?

Pour les jeunes enfants, l'idée du beau est souvent liée à l'idée du bon. Être beau équivaut à être aimé et être aimable (dans le sens « qui mérite d'être aimé »). À l'inverse, être laid, c'est être méchant et inapte à être aimé.

Quelqu'un qui est laid, personne pourra jamais l'aimer ?

Louis, six ans

Louis a dans sa classe une petite fille qui porte des lunettes. « Elle est pas belle, personne ne l'aime », confie-t-il. Il s'inquiète de savoir s'il en sera toujours ainsi, liant la possibilité d'être aimé à l'apparence physique.

Le beau, reflet du bien, le laid, reflet du mal ?

Le beau et le laid ont pour pendant le bien et le mal. À la limite, tous les gentils sont beaux et tous les méchants sont laids. « Dans les histoires, les méchantes sorcières ne sont jamais belles, et, quand elles se font belles, c'est pour faire croire qu'elles sont gentilles[43]. » En revanche, les princesses sont toujours belles, et les princes, charmants.

Mais n'en est-il pas ainsi dans le langage des adultes ? On dit un « beau » geste pour une action généreuse ou qui a du panache. En revanche, quelque chose de laid ou de misérable sera qualifié de mauvais. Ainsi, on parlera d'un « méchant » manteau pour un vêtement trop léger ou en mauvais état, d'une « méchante » affaire pour une « embrouille », d'une « méchante » humeur pour une mauvaise humeur. Une mauvaise action, c'est aussi quelque chose de « moche ». Le parent qui, grondant son enfant, lui dit : « C'est pas beau ! » ou même : « Tu n'es pas beau ! », veut sans doute dire : « Tu as fait quelque chose qui n'était pas bien ! » Pourtant, il parle de beauté !

Il est vrai que l'on trouve souvent beau ce ou celui qu'on aime. Le jeune enfant trouve beaux son doudou sale et tout rongé ou sa poupée défraîchie. Il ne faut surtout pas les lui jeter. Il est en admiration devant sa mère quel que soit son physique, la trouvant la plus belle de toutes les mamans, la plus gentille aussi, même si de temps en temps elle se met en colère. Cela est normal, puisqu'elle est sa mère et qu'il l'aime tant ! Pourtant, la beauté physique n'a rien à voir intrinsèquement avec la bonté ou la gentillesse.

En ce qui concerne Louis, il est évidemment impossible de lui dire que l'apparence extérieure n'intervient pas dans l'attirance que l'on peut avoir pour une personne, surtout si on la connaît mal. Certes, les gens vont plus volontiers vers quelqu'un ayant des traits agréables. La mine et l'attitude comptent aussi. Quel que soit leur physique, nous serons plus attirés par une personne qui sourit et qui a l'air avenant que par quelqu'un à la mine sévère et revêche. Toutefois, lorsque nous connaissons mieux les gens, nous oublions rapidement la beauté ou la laideur de leurs traits pour nous attacher à leurs qualités ou à leurs défauts dans la relation que nous avons avec eux. Ainsi, on peut tout naturellement en arriver à aimer et à admirer quelqu'un que l'on trouvait de prime abord laid, voire repoussant.

E.T., le personnage bien connu du film éponyme, en est un bon exemple. Quand il apparaît pour la première fois à l'écran, le petit extraterrestre semble tellement hideux que l'on a du mal à supporter sa vue. Pourtant, son histoire, liée à celle du petit garçon, Elliott, qui l'a recueilli, est si émouvante, et il est lui-même si touchant qu'à la fin du film il ne fait plus peur du tout. Au contraire, on est rempli d'affection pour lui et l'on a envie de le câliner et de le protéger.

La transformation de nos sentiments s'est faite au cours du film parce que nous avons vu vivre E.T. et avons pu apprécier ses qualités, mais aussi parce que nous avons pu nous mettre à sa place et imaginer ce qu'il ressentait. Nous nous sommes en outre habitués à la vision de sa laideur, qui en fin de compte n'en est plus une. Tout cela peut être expliqué à un jeune enfant. Il le comprendra d'autant mieux qu'il est souvent lui-même dans la position du plus petit, du plus faible, de celui qui a le moins de moyens et qui a peur de ne pas être aimé pour ce qu'il est.

Dans le même esprit, le conte de Charles Perrault, *Riquet à la houppe*, raconte l'histoire d'une reine qui a accouché d'un fils

« si laid et si mal fait qu'on douta longtemps s'il avait forme humaine ». Pour consoler la reine, une bonne fée fait don à l'enfant d'un esprit brillant qui le rendra aimable. Plus tard, Riquet à la houppe tombe amoureux d'une princesse très belle, mais très sotte et, comme il a aussi reçu à la naissance le don de donner de l'esprit à qui n'en a pas, il lui en fait don. À son tour, la princesse, devenue intelligente grâce à lui, lui fait don de la beauté. Il s'ensuit bien entendu un très beau mariage.

Mais, remarque Charles Perrault, « quelques-uns assurent que ce ne furent point les charmes de la fée qui opérèrent, mais que l'amour seul fit cette métamorphose. Ils disent que la princesse ayant fait réflexion sur la persévérance de son amant, sur sa discrétion, et sur toutes les bonnes qualités de son âme et de son esprit, ne vit plus la difformité de son corps, ni la laideur de son visage [...] ». Le thème de la laideur qui gagne par sa bonté ou par son esprit le cœur de la beauté est répandu dans la tradition populaire de nombreux pays. Le plus souvent d'ailleurs, l'amour qui a su aller au-delà des apparences métamorphose à son tour la personne disgraciée.

L'écrivain et dramaturge Éric-Emmanuel Schmitt raconte à propos de son amour pour Mozart que, tout jeune, quand il avait assisté pour la première fois à Lyon à la représentation d'un opéra de son compositeur préféré, il avait vu arriver sur scène une grosse dame pas très jolie. Quelques instants plus tard cependant, après que cette dame eut commencé à chanter, elle était devenue très belle à ses yeux. Le charme de la musique avait opéré.

On peut aussi parler des personnes atteintes d'infirmités physiques. Elles sont souvent regardées avec curiosité par les passants dans la rue et parfois font même peur, mais les membres de leur famille et leurs amis ne remarquent plus leur infirmité. Ils ont affaire à une personne qu'ils aiment et respectent pour elle-même. Son infirmité ou son handicap constituent simplement une de ses caractéristiques, au même titre que la couleur de ses cheveux ou sa taille. Les enfants peuvent en faire eux-mêmes l'expérience quand ils ont dans leur entourage quelqu'un de tel.

La beauté humaine

Pour revenir à la notion du beau en soi, on peut se demander à quel stade de son développement le sens du beau à proprement parler vient à l'enfant. Si l'on présente à de jeunes enfants des plaquettes où, sur chacune, figurent des visages, tous avenants, sauf un qui est outrageusement laid, ou l'inverse, ils sont capables, à partir de quatre ans environ, de pointer le visage qui est laid au milieu de ceux qui sont beaux, ou celui de la personne qui est belle parmi ceux des personnes laides [44].

Il y a donc chez l'homme une distinction intuitive du beau dès son jeune âge. À quoi tient-elle ? C'est un peu le sens de la question posée tout à trac par une fillette à l'infirmière qui s'occupe d'elle à l'hôpital :

Pourquoi tu es belle ?

Delphine, cinq ans

La question signifie sans doute : « Je te trouve belle », mais elle soulève en même temps le problème de l'origine de la beauté, ou de ce qui fait que l'on trouve quelqu'un ou quelque chose beau ou laid.

En ce qui concerne le premier point, on se souvient que, pour le jeune enfant, chaque chose a nécessairement une cause première ou une origine. Rien ne peut émerger spontanément. Tout est donné. La beauté n'étant pas pour l'enfant une notion abstraite, mais une réalité tangible, elle doit bien venir de quelque part. De là à penser que la beauté d'une personne est due à la bienveillance d'un être suprême et tout-puissant et qu'elle doit être méritée, la laideur étant à l'inverse une punition, il n'y a qu'un pas. C'est parce que l'on est bon que l'on est beau.

Que répondre alors à l'enfant quand il pose la question de l'origine de la beauté ou de la laideur ? On peut, dans ce domaine encore, évoquer des raisons scientifiques : la transmission génétique est certainement un facteur important dans le fait que les êtres humains sont diversement dotés de qualités physiques. Mais ces raisons ne sont pas suffisantes. On sait qu'il peut exister une grande disparité physique entre les différents membres d'une même famille. Le facteur hasard ou chance est donc aussi à invoquer. Et pourquoi pas aussi l'idée que la beauté serait un cadeau de Dieu ou des dieux ?

Mais d'où vient, plus profondément, la beauté de la nature ? On peut considérer, avec Albert Einstein et les physiciens qui l'ont suivi, que la création est naturellement simple et belle. Cette idée correspond à la haute conception platonicienne de la beauté suprême et parfaite, dont la beauté terrestre ne serait qu'un reflet. Dans la même ligne, pour un certain nombre de croyants, la beauté de la nature est la preuve de l'existence de Dieu. Mais, là encore, ce que l'on en dira à l'enfant dépendra des conclusions auxquelles nous aurons pu parvenir nous-mêmes si nous avons réfléchi à la question.

Il est important d'insister en tout cas auprès de l'enfant sur le fait qu'en ce qui concerne les êtres humains, il n'y a généralement pas de beauté ou de laideur totales. Il est en effet rare qu'une personne belle n'ait pas quelque défaut ou qu'une personne laide n'ait pas aussi des qualités physiques. Enfin, tout dépend des goûts de chacun. L'idée du beau et de la beauté, en dehors de critères sur lesquels tout le monde s'accorde, reste heureusement subjective. Et puis il n'y a pas que le beau et le laid : il y a aussi ce qui nous est indifférent sur le plan esthétique.

Autre argument que l'on pourrait faire valoir pour rassurer Louis, qui craignait que la petite fille de sa classe qui était laide ne soit aimée de personne plus tard : en dehors du fait qu'il arrive rarement que quelqu'un soit totalement laid ou beau, la beauté n'est pas un gage de bonheur. Il arrive que des personnes très belles soient très malheureuses. Remarquons toutefois au passage la façon dont est posée la question de Louis. Sa formulation nous montre combien le fait de pouvoir être aimé est important, primordial même, pour l'enfant. Pour Louis, c'est un besoin majeur.

C'est le regard aimant de sa mère qui fait que l'enfant se sent aimable. Il se verra beau dans les yeux de sa mère. De toute façon, quand on est aimé, on se sent beau, ou, en quelque sorte, on le devient. Le regard des autres crée la beauté. L'enfant se demande rarement s'il est beau ou laid, ou si ses proches le sont. Pour qu'il se pose la question, il faut que, dans l'image renvoyée à l'enfant par le regard de sa mère, le reflet de son admiration à elle ait été absent.

La situation de l'enfant qui, s'étant senti rejeté par sa mère, est persuadé qu'il est laid est très justement illustrée dans un roman autobiographique de Richard Millet :

Je souffrais moins d'être laid que d'avoir été chassé de quelque chose que je ne savais pas encore être l'éternité enfantine [45].

Richard Millet

L'enfance, nous l'avons vu, est un espace illimité et intemporel dans lequel baigne l'enfant, assuré de sa toute-puissance. Se trouve exclu de cet espace celui qui, se croyant non aimé, a perdu cette assurance et, de ce fait, son innocence.

Dans le roman de Richard Millet, la sœur du jeune Richard demande à son frère si elle est belle. Le garçon est embarrassé :

« Je n'avais pas jusque-là eu l'idée de la trouver différente de moi », écrit-il. Pour lui, comme il l'explique, « elle n'avait pas de visage ». En effet, les enfants ne se renvoient pas l'image qu'ils ont les uns des autres. Sans doute sont-ils trop tournés vers eux-mêmes. « En ce temps-là, écrit encore l'auteur, il n'y avait, à S., nul visage pour me servir de miroir. [...] Les enfants ne voient pas ce que voient les adultes ni ce que perçoivent ceux qui viennent de basculer dans le temps. »

M. Rouanet, qui pour sa part était à l'âge où l'on bascule dans le temps, c'est-à-dire au tout début de l'adolescence, raconte l'admiration qu'elle avait, enfant, alors qu'elle était en pension chez les religieuses, pour une certaine Angèle. À l'heure du jeu et dans des scénarios montés par les pensionnaires, celle-ci se transformait « en impitoyable mégère ».

Tout, alors, dans son visage comme dans son corps, prenait sens. Je n'aurais su le dire mais je la trouvais belle et l'admirais [46].

Marie Rouanet

Cette Angèle, pourtant, avait un visage « immobile, rond, plat, pâle, fendu de deux petits yeux ». Elle avait une bouche aux coins tombants et une tignasse frisée, énorme. Mais, dans le jeu, sans doute parce que, à la différence des autres filles de sa classe, elle avait déjà de la poitrine, elle était comme une « adulte venue de la vraie vie ». En fait, plus que par sa beauté, l'auteur était impressionnée par la personnalité et la maturité de cette jeune fille. L'enfant, même grand, a peu d'éléments pour apprécier véritablement la beauté.

L'apprentissage du beau

Baudelaire décrit sa visite, petit garçon, chez une dame « habillée de velours et de fourrure », dans un hôtel parisien très calme. Dans une pièce remplie de jouets jusqu'au plafond, cette dame lui offre de choisir le « joujou » qui lui plaît. Il s'empare alors immédiatement « du plus beau, du plus cher, du plus voyant, du plus frais, du plus bizarre des joujoux », qu'il doit d'ailleurs troquer sur l'insistance de sa mère contre un jouet plus modeste. À cette occasion, le poète, parlant des jouets, évoque les « idées de l'enfance sur la beauté » : les enfants admirent en eux « la propreté lustrée, l'éclat aveuglant des couleurs, la violence dans le geste et la décision dans le galbe[47] ». Les enfants aiment ce qui est voyant, les couleurs pures, vives et brillantes, les formes simples et nettes − ce que montrent aussi leurs dessins. Les fabricants de jouets, de vêtements ou d'accessoires pour enfants le savent bien. Ils exploitent le goût des enfants pour le clinquant en proposant des produits qui répondent à cette attirance spontanée.

En général, le goût des enfants est éloigné de celui des adultes. Il évolue peu à peu quand ils grandissent, sous la pression de leur entourage. La formation du goût se fait essentiellement dans le cadre de la vie de tous les jours. Elle vient d'abord du milieu dans lequel vit l'enfant. Françoise Dolto raconte avec humour l'arrivée, dans le nouvel appartement de ses parents, d'un lustre Dagobert, avec des bougies flammes :

Qu'est-ce que ça avait de beau d'imiter des bougies ? Je me rappelle très bien que j'étais en plein dans la question du beau : puisqu'ils s'installaient, c'était beau, et puis je les écoutais parler de ça à table. Et je ne comprenais pas le beau des grandes personnes [48].

Françoise Dolto

En fait, à quoi est liée l'intuition spontanée du beau ? Les philosophes évoquent l'émotion éprouvée spontanément par celui qui regarde. C'est cette émotion esthétique qui nous fait dire que ce que nous voyons est beau. Le beau serait donc ce qui fait naître l'émotion, le plaisir, ce qui plaît à l'œil ou qui suscite un sentiment d'admiration. Le laid, à l'inverse, serait ce qui produit une impression désagréable en heurtant le sens esthétique.
Mais quelle que soit l'intuition spontanée que l'on a du beau, pour apprécier véritablement ce qui est beau, il est nécessaire d'y avoir été sensibilisé. Pour pouvoir admirer un coucher de soleil, aimer sentir une fleur odorante ou apprécier une belle musique, l'enfant doit avoir été éduqué par les adultes qui l'entourent. C'est en essayant de lui faire partager leur propre émotion esthétique qu'ils l'encourageront à ressentir lui-même de

l'émotion. On ne peut apprécier la beauté de la nature que si l'on y est préparé et si l'on est disponible pour la recevoir.

« Un coucher de soleil évoque chez un rustre l'idée fort peu esthétique du souper, chez un physicien la pensée d'une analyse spectrale [...] il n'est beau que pour qui le regarde avec des yeux d'artiste [...] », écrit le philosophe Charles Lalo [49]. « Que sait l'âne du chant du rossignol ? » et « La beauté du Fuji est sans beauté pour l'homme affamé », disent des proverbes roumain et japonais. Le goût du beau se cultive. Il va aussi avec un certain détachement des contingences matérielles et un intérêt « désintéressé ».

En ce qui concerne l'appréciation de la beauté dans l'art, qui, à la différence de la nature, est un fait de l'homme, ou dans les objets faits de main d'homme, une éducation est indispensable. « Le jugement humain est errant et comme égaré s'il n'est formé par les œuvres. Un esprit tout neuf peut passer à côté des œuvres sans les interroger [...] », écrit le philosophe Alain. Dans le domaine de l'art, l'enfant a véritablement besoin d'être mis en contact par les adultes avec les œuvres. Il n'ira pas spontanément visiter un musée ou une exposition de peinture. Il n'assistera pas à un grand concert ni n'écoutera un opéra si on ne l'y incite pas. Il faut que l'art vienne à lui pour qu'il se familiarise avec cette forme de beauté et y trouve du plaisir. Puis viendra le moment où il ne pourra plus s'en passer.

Dis papa, tu trouves ça beau ?

Luc, sept ans

Luc regarde un tableau que son père a rapporté à la maison. « Oui répond le père. – Pourquoi c'est beau ? », demande encore Luc. Une réponse du type « Parce qu'il me plaît » ne sera pas suffisante. Son père va s'employer à lui expliquer les qualités du tableau, mais aussi les raisons personnelles pour lesquelles ce tableau lui plaît. Même si l'enfant ne partage pas toutes les appréciations de son père, son goût s'affinera, et il enrichira sa culture. Plus on apprend à aimer, plus on aime.

Quant à définir l'idée de beauté, c'est-à-dire ce qui permet de juger qu'une fleur, un vase, un tableau, une personne ont en commun d'être appelés beaux, cela reste difficile. Beau et laid sont en effet des notions très subjectives. L'appréciation du beau dépend des goûts, de l'éducation, de la culture, du milieu, de l'âge. L'idée de beauté varie d'une culture à l'autre, d'un milieu à l'autre, d'un individu à l'autre. Elle varie également chez une même personne selon les différentes époques de sa vie. C'est sans doute ce qu'il faut commencer par dire à l'enfant, pour lui expliquer ensuite quelles sont les raisons pour lesquelles on apprécie tel objet, tel spectacle, telle fleur. Certaines sont inhérentes aux objets : leur forme, leur couleur, leurs proportions, le cadre dans lequel ils se trouvent, leur originalité. La mode peut aussi jouer. D'autres raisons tiennent à celui qui regarde : l'émotion qu'il éprouve devant l'objet, ses goûts, ses souvenirs, ses intérêts.

L'apprentissage du beau dure toute la vie, mais il doit commencer dès l'enfance. Plus on connaîtra et on saura apprécier de choses, plus on sera à même d'en apprécier d'autres et d'en tirer du plaisir. Mais souvent ce n'est qu'à l'âge adulte que l'on éprouve réellement la beauté des choses perçues dans le passé. « C'est le souvenir d'une chose moins belle qui fait naître, à propos d'une autre chose, l'impression de beauté », écrit André Maurois à propos de Marcel Proust, l'écrivain qui a si bien parlé de la jouissance liée à la reviviscence du passé [50].

Demander à l'enfant ce qu'il trouve beau ou laid, et pourquoi, lui faire part de ses propres impressions dans un échange ouvert est sans doute la meilleure façon de lui apprendre à s'interroger et à réfléchir sur le beau. En grandissant, il se fera sa propre opinion. Il s'apercevra en particulier que la beauté peut rendre la vie plus belle. Apprendre à trouver beau, voilà tout un programme pour l'enfant, avec l'adulte pour guide obligé : ses parents, ses professeurs et éducateurs. Les œuvres d'art comme les beautés de la nature vont enrichir sa vie. Le plaisir esthétique lui donnera un sentiment de liberté. Et comme, dans ce plaisir, il y a un sentiment de communicabilité, le sentiment du beau pourra le mettre en communion avec les autres.

LE RÉEL ET L'IMAGINAIRE

4

C'EST LA VIE !

Jouer à la guerre

« Papa, pourquoi tu n'as pas tué la guerre ? » Comme un enfant pourrait le faire, Florian, petit lapin d'un dessin animé scandinave, pose la question à son père revenant du front, la figure cassée. Florian a été meurtri par la guerre car, à cause d'elle, il a été séparé de sa tendre amie Malena. Il a donc été personnellement touché par cette chose terrible que les grandes personnes appellent la guerre. Sans savoir exactement ce que c'est, il en connaît au moins une conséquence : la perte de son amie. Maintenant il souffre et voudrait que la cause de son chagrin soit supprimée. Et qui d'autre que son père aurait pu le faire, lui qui était parti justement pour tuer les « méchants » ? Pour un jeune enfant, les parents sont tout-puissants. Ils sont là pour le protéger. Ils sont forts et, puisqu'ils l'aiment, il ne peut rien lui arriver de mal. Toutefois, quand une peine ou une douleur surviennent, que les méchants ont le dessus, il peut s'étonner de la défaillance de ses parents. Commençant à mettre en doute leur toute-puissance et déçu par leur faiblesse, il peut aussi leur en vouloir de ne pas le protéger suffisamment. De la même façon et dans un tout autre domaine, le petit enfant à qui l'on doit faire des soins douloureux, et à qui aucune explication n'a été donnée, peut ne pas comprendre pourquoi ses parents, surtout s'ils sont présents, ne sont pas capables de lui éviter ces misères. Pourquoi n'essaient-ils même pas de le faire, eux qui peuvent tout pour lui ? Il aurait fallu dire auparavant à cet enfant qu'on allait lui prodiguer des soins pour le guérir ou lui permettre d'aller mieux, que l'on ne pouvait pas faire autrement, et que ses parents, qui désiraient par-dessus tout son bien, étaient persuadés que même s'ils étaient pénibles, ces soins étaient indispensables. En effet, lorsqu'un enfant est prévenu de ce qui va lui arriver, même s'il pleure et se débat, le moment venu il est gagné par l'assurance de ses parents et/ou des adultes qui l'entourent. Leur toute-puissance n'est pas mise en cause, et il garde toute sa confiance en eux.

Il faut tuer la guerre !

Luc, quatre ans

Ainsi conclut cet enfant qui entend des adultes déplorer le fait qu'il y a encore tant de guerres et tant de victimes par le monde. Mais, peu après, Luc joue à la guerre avec ses petits amis : « Pan ! Pan ! Je te tue ! Pan ! Pan ! Tu es mort ! » Il est vrai que, avant l'âge de cinq-six ans, la mort n'apparaît pas comme définitive. On joue seulement à être mort en tombant, puis en restant immobile par terre, mais on sait qu'on se relèvera. Quand des enfants jouent à la guerre, la plupart du temps ils ne font pas le rapprochement, dans le feu de l'action, entre leur jeu et ce qu'est la vraie guerre, celle des grandes personnes, qui fait tant de mal.

Deux jeunes garçons, chacun d'un côté du canapé du salon, se tirent dessus avec des fusils en plastique. Leur grande sœur arrive et s'écrie : « Vous jouez encore à la guerre ! Vous êtes nuls ! C'est horrible la guerre ! » Probablement pour les faire réagir, elle continue : « On tue les papas, les mamans, tout le monde... même les enfants ! » Entendant cela, les deux frères s'interrompent, réfléchissent et reconnaissent : « C'est vrai ! – C'est nul ! » L'un d'eux ajoute alors : « D'ailleurs quand on sera grands, on tuera la guerre ! » Et voilà le jeu de la guerre qui recommence de plus belle : « Pan ! Pan ! Pan ! »

Un enfant sera étonné si on lui explique que, lorsqu'il se dispute ou se bat avec son frère, sa sœur ou un petit camarade pour avoir un jouet ou un objet auquel il tient, ou encore pour savoir qui a raison, c'est un peu comme s'il y avait une guerre en réduction entre eux. Il a du mal à comprendre que, comme tous les êtres humains, il a des pulsions agressives ; qu'à certains moments il ne peut se retenir de taper l'enfant qui est en face de lui, ou de lui tirer les cheveux. C'est pour cela qu'il y a des règles qui interdisent ces gestes, et que les grandes personnes sont souvent là pour veiller à ce que le calme règne. Avant d'en venir aux mains, il faudrait s'arrêter et parler de ce qui pose problème. S'expliquer et trouver un accord, quitte à abandonner certaines de ses propres revendications, vaut toujours mieux que de se battre.

Cependant, cela peut sembler théorique à un jeune enfant débordé par son impulsivité. À certains moments, aucun rai-

sonnement ne peut l'arrêter, et il faut l'intervention d'une auto-
rité extérieure, en général un adulte, pour mettre fin à certaines
bagarres. L'enfant pose parfois des questions sur le pourquoi
de ces crises qu'il ne peut maîtriser :

Comment y faut faire pour arrêter mes grosses colères ?

Fabrice, cinq ans

Bien souvent, dans leur for intérieur, les enfants sont contents
qu'on vienne mettre une limite à leur violence.

L'enfant coupable

Le jeune enfant qui se sent débordé par son agressivité – ce
qui est normal à cette période de la vie – supporte souvent mal
ses sentiments de colère, qu'il ressent comme extrêmement
destructeurs. À partir de quatre-cinq ans, en effet, la conscience
morale émerge[1], et l'enfant se sent coupable de ressentir
l'agressivité qui le submerge parfois ; celle-ci est d'ailleurs à
l'origine d'un certain nombre de cauchemars. Le mieux est
alors, pour l'adulte qui l'accompagne, de l'aider à maîtriser peu
à peu son impulsivité en étant tolérant avec lui, mais ferme.
Il arrive que des enfants, très finement et sans doute inconsciemment, se soulagent de leur culpabilité en attribuant leurs
pulsions agressives à autrui. Ainsi, une fillette, parlant de sa
poupée, dit :

"

Elle n'est pas tout le temps sage. Elle provoque la poupée de ma petite sœur, lance la bagarre et finit toujours par gagner.

Lilienne, huit ans

"

Par poupées interposées, la fillette décrit sans s'en rendre compte ses rapports avec sa petite sœur.

Par ailleurs, quand des événements malheureux surviennent dans son environnement proche, l'enfant peut, à l'insu de tout le monde, se sentir coupable, quelle que soit son implication dans ces événements. Florian, le petit lapin qui avait demandé à son père pourquoi il n'avait pas empêché définitivement la guerre de nuire, avait aussitôt après interrogé sa mère : « Maman, est-ce qu'il y a eu la guerre parce que j'ai fait trop de bruit avec Malena ? » L'idée était venue à Florian qu'il avait peut-être lui-même déclenché cette guerre parce qu'il n'avait pas été sage.

Les enfants ont en effet souvent l'impression, sans trop savoir comment, d'être responsables de ce qui va mal, en particulier quand surviennent des conflits entre adultes. Ils craignent d'avoir déclenché des cataclysmes. Amélie Nothomb se souvient par exemple que, très jeune, elle s'était sentie responsable du départ de sa gouvernante et du déménagement de ses parents. « Qu'est-ce que j'ai fait de mal ? avait-elle demandé. – Rien. Ce n'est pas à cause de toi. C'est comme ça », lui avait-on répondu [2].

Il en va de même quand un frère ou une sœur tombent malades ou quand il arrive un accident. L'enfant peut imaginer que c'est parce qu'il en voulait à ce frère ou à cette sœur d'avoir pris sa place qu'ils sont tombés malades ou ont eu un accident, comme si un souhait, même inavoué, avait ce pouvoir. Florian, pour sa part, a su poser la question de sa culpabilité. Dans son cas, il était facile de l'assurer qu'il n'était en aucune façon responsable d'une guerre lointaine n'ayant aucun rapport avec lui. La plupart du temps, néanmoins, les enfants n'expriment pas leur crainte d'avoir provoqué une catastrophe, ou ce qu'ils imaginent être une catastrophe. Mieux vaut donc toujours prendre les devants et leur dire, même s'ils n'en parlent pas, qu'ils ne sont pour rien dans ce qui est arrivé.

Le mal

Peu à peu l'enfant découvre qu'à côté de l'amour il y a la haine, qu'à côté du bien il y a le mal. Cela le met mal à l'aise.

Pourquoi y en a qui sont méchants ?

Michel, six ans

Michel s'est fait taper dessus par des camarades dans la cour de récréation sans savoir pourquoi.

Pourquoi les grands frappent toujours les petits ?

Yvan, quatre ans

L'enfant découvre aussi au fil du temps que les grandes personnes elles-mêmes peuvent ne pas être raisonnables. De fait, il lui arrive d'assister personnellement à des disputes parfois graves entre adultes ou entre groupes d'individus. Et puis il y a les guerres !

On est obligé de répondre aux enfants qui demandent pourquoi il y a des gens méchants que, malheureusement, dans le monde des enfants comme dans celui des grandes personnes, c'est souvent la loi du plus fort qui prime, qu'il s'agisse de force physique ou de pouvoir. On pourra leur dire aussi qu'il y a des gens qui tapent pour le plaisir de taper. Sans doute ne vont-ils pas très bien ou ne sont-ils pas heureux et en veulent-ils à la terre entière ? Alors ils s'en prennent à n'importe qui, comme pour se venger de ce qu'ils n'ont pas – des parents qui les aiment, par exemple. Il est aussi nécessaire d'apprendre aux enfants qui ont fait l'expérience de la méchanceté des autres à se protéger et, le cas échéant, à se défendre.

Le mal est une notion trop abstraite pour que le jeune enfant la comprenne. Pendant des siècles, elle a pris la figure du diable. Il était ainsi plus facile de se représenter le mal. De nos jours, les philosophes reconnaissent l'existence d'un « mal radical ». Cependant, ils en sont encore à essayer de le définir et à chercher d'où il vient. Pour les uns, la violence serait en chacun de nous dès la naissance. Pour d'autres, comme Jean-Jacques Rousseau, les hommes naîtraient naturellement bons et innocents. Ce serait la société et la science, en particulier, qui les corrompraient. Voici un début de définition du mal que l'on peut donner à un enfant : le mal, c'est ce qui va contre son propre bien et celui des autres.

Digne d'être aimé ?

En fait, quand un enfant demande pourquoi quelqu'un est méchant, c'est en général à lui qu'il pense : pourquoi est-on méchant avec lui ou avec un de ses proches ? Une fois de plus, dans ce type de question, la demande affective est importante. Qu'a-t-il fait ou que n'a-t-il pas fait pour qu'on ne l'aime pas, ou plus ? N'est-il pas digne d'être aimé ? N'est-il pas assez beau ? pas assez intelligent ? Ne travaille-t-il pas assez bien ? À quatre ans et surtout cinq ans, les enfants, parce qu'ils deviennent plus conscients d'eux-mêmes, sont très attentifs à l'effet qu'ils produisent sur les autres. Ils se posent des questions pour savoir s'ils sont dignes d'être acceptés par leur entourage. Parallèlement, ils cherchent souvent, par des comportements bruyants et provocateurs, à attirer l'attention de parents peut-être trop occupés.

Dans de telles circonstances, on peut expliquer à l'enfant que, si on est méchant avec lui, ce n'est pas à cause de lui. Il y a seulement des personnes qui, si ce n'est par nature, sont poussées à être méchantes. S'il a l'impression que ces personnes ne l'aiment pas, cela vient d'elles – elles doivent avoir des raisons personnelles – et pas de lui. Il faut également montrer à l'enfant l'intérêt qu'on lui porte. Dans cette phase de son développement, il n'est pas sûr d'être digne d'être aimé. Il a donc particulièrement besoin d'être valorisé. Cela le rendra plus sûr de lui, et donc moins fragile. Dès lors, il ne sera plus la proie des « méchants » qui, on le sait, s'attaquent volontiers aux plus faibles.

Car la grande question reste toujours de savoir si l'on est aimé, et la grande peur reste de ne pas l'être.

Pourquoi ma belle-mère est méchante avec moi ?

Éric, sept ans

Éric a l'impression de ne pas être aimé, et il imagine sans doute que sa belle-mère ne l'aime pas parce qu'il n'est pas comme elle aimerait qu'il soit.

Lorsqu'il s'agit de personnes qui le touchent de près, l'enfant est également attentif au fait de savoir si elles sont ou non aimées. En effet, non seulement il s'identifie à elles, mais, à travers elles, il se sent pleinement concerné. La séparation ou le divorce des parents, en particulier, constituent pour lui une occasion de questionnement douloureux à propos de ceux qu'il aime le plus au monde.

Pourquoi tu l'aimes plus, maman ?

Pauline, sept ans

La fillette interroge son père qui vient d'annoncer aux enfants réunis qu'il va quitter leur mère.

Que répondre à cette question quand on a déjà du mal à comprendre soi-même comment le désamour s'est installé et comment un autre amour est parfois venu prendre la place de celui que l'on croyait indestructible ? Il faudrait pouvoir dire à l'enfant que l'amour peut s'user au fil des ans, la lassitude et les difficultés de la vie aidant. Il faudrait aussi pouvoir lui dire que les individus changent avec le temps, et que ceux qui s'étaient choisis à un moment donné de leur existence ne sont parfois plus les mêmes quelques années plus tard. Les raisons pour lesquelles ils s'étaient aimés ont disparu, et ils ne souhaitent plus rester ensemble.

Au moment où les parents parlent de leur séparation, ils ont beau assurer l'enfant que, même s'ils ne vivent plus ensemble, ils continueront à l'aimer autant qu'avant, celui-ci peut se demander si cet amour ne va pas s'affadir lui aussi. Il demande alors : « Si les parents peuvent cesser de s'aimer, peuvent-ils cesser d'aimer leurs enfants ? » C'est pourquoi il est toujours nécessaire, dans ces cas-là, que les parents insistent auprès de l'enfant pour l'assurer qu'il reste leur enfant et qu'ils continueront à l'aimer toujours. Ils peuvent aussi préciser que l'amour des parents pour leurs enfants est différent de l'amour entre un homme et une femme.

Une difficulté importante à laquelle sont confrontés les parents qui cherchent à expliquer leur séparation vient de ce qu'ils ne peuvent parler de leur intimité : comme dans toute autre circonstance, elle reste et doit rester leur propriété exclusive. Dans ces conditions, jusqu'où peuvent-ils aller dans les explications données à l'enfant ? Sans doute auront-ils raison de se limiter à ce qui, dans leur vie, l'a concerné directement. Le reste ne le regarde pas et ne ferait qu'ajouter un poids supplémentaire à la charge morale que lui font porter les événements.

Toujours unis face à l'enfant

Pour l'enfant, qui fait partie intégrante de l'amour réciproque
de ses parents, il est difficile d'imaginer une existence hors de la
chaleur de cette union. La déchirure provoquée par la séparation
des parents peut être immense et, pendant longtemps, l'enfant
nourrira le secret espoir de voir ses parents de nouveau réunis.
Il demandera souvent si cela sera possible un jour, et dans quel
délai.
En fait, la meilleure réponse à apporter à un enfant inquiet
de perdre l'amour de ses parents lorsque ceux-ci se séparent est
leur entente effective à son sujet, leur coopération amicale même,
pour tout ce qui le concerne. C'est aussi une attitude de respect
par rapport à un ex-conjoint qui n'est pas dévalorisé devant
l'enfant, les parents ne dépréciant pas le passé qui les a unis et
restant positifs face à la situation présente, sans chercher à
culpabiliser qui que ce soit.

Un enfant, quoi qu'on fasse, se demandera toujours s'il n'est pas responsable de la rupture entre ses parents, questionnement qui est quelquefois favorisé par le fait qu'il les a entendus se disputer à son sujet. Il faudra donc toujours lui dire qu'il n'est pour rien dans la séparation, même s'il ne pose pas la question. Ils ont décidé de se séparer pour des raisons qui leur sont personnelles.

Il n'est nullement besoin que l'enfant vive la séparation de ses parents pour l'imaginer et l'appréhender. Nous savons à quel point les jeunes enfants ont peur de rester seuls sur terre et sans soutien. Même lorsqu'il n'est pas question de séparation, ils peuvent craindre de voir le couple parental se dissoudre. Or, dans leur imaginaire, quand ils sont très jeunes, la séparation des parents entraîne obligatoirement leur propre disparition. Elle équivaut pour eux à un abandon. Ils sont donc aux aguets, et toute alerte, telle une dispute entre les parents, peut les rendre anxieux. Même un divorce à l'extérieur de la famille peut le mettre sur leurs gardes.

Un garçon de six ans demande un jour à sa mère si elle sait que le père de son meilleur ami ne vit plus chez lui. Les parents de cet ami se sont récemment séparés et sont en instance de divorce. Sa mère lui répond qu'elle est au courant, mais elle n'ajoute rien et la conversation s'arrête là. Son fils n'ose rien demander de plus. Ce n'est pourtant pas la réponse qu'il attendait d'elle.

Lorsqu'ils entendent parler de divorce ou de séparation touchant des enfants de leur entourage, les enfants se posent en effet toutes sortes de questions qu'ils ne parviennent pas à verbaliser : « Serons-nous les prochains ? » « Qu'arrive-t-il à la relation entre le père et l'enfant si le père s'en va ? » Ils ont besoin d'être rassurés quant à la stabilité de leur propre famille, et sur le fait que les pères et les mères, même s'ils ne vivent plus à la maison, gardent une relation forte avec leurs enfants.

Un enfant plus jeune ne sera peut-être pas capable de poser de question. Ce fut le cas de la jeune sœur du garçon qui vient d'être cité. Âgée de quatre ans, elle avait assisté à la conversation, mais n'avait rien dit. À l'instar de tous les jeunes enfants, qui captent les sentiments de leur entourage sans qu'il soit besoin de paroles, elle avait saisi la tension qui planait dans l'air du fait de l'anxiété de son frère. Elle aurait sans doute eu besoin qu'on lui dise : « Le père de l'ami de ton frère est parti, mais ton père, lui, reste avec nous » ; ou encore : « Ici, tout va bien. Si ton frère est triste, c'est pour son ami dont le papa est parti. »

Pour ce qui touche à l'amour, il faut savoir que, pour un jeune enfant, les expressions « être amoureux » ou « faire l'amour » ont un sens bien différent de celui qu'il a chez les adultes. Être amoureux, c'est quand on désire se faire des câlins. Faire l'amour consiste en un doux mélange de baisers sur la bouche et de caresses légères. Il est toujours important de connaître le sens que les enfants donnent aux mots en leur demandant ce qu'ils veulent dire quand ils utilisent telle ou telle expression, dont le sens ne semble pourtant faire aucun doute. On peut alors avoir bien des surprises en découvrant que l'enfant voulait dire tout autre chose que ce que l'on croyait avoir compris.

Est-ce que papa et toi vous faites l'amour ?

Louis, six ans

Louis cherche surtout à savoir : « Est-ce que papa et toi, vous vous aimez ? » « Est-ce que vous vous faites des câlins ? » « Est-ce que vous allez bien rester ensemble ? » Mais aussi : « Est-ce que vous m'avez aimé ? » « Vous m'aimez encore ? » Il ne cherche pas à savoir si ses parents ont des relations sexuelles, cela étant difficile à imaginer pour lui. La curiosité sexuelle à cet âge se place à un autre niveau. Ainsi, Jeanne, cinq ans, pose une devinette : « Le marié, le jour de son mariage, est absent. Où est-il ? » Et voici la réponse : « Il est aux toilettes » ; cette réponse provoque un rire incoercible chez les enfants présents !

À l'école, avant le primaire, une façon courante de se déclarer amoureux, pour un garçon, consiste à attaquer la fille à qui il cherche à plaire. Il faudra attendre pour que les échanges soient moins abrupts : « À la maternelle, lorsque l'année scolaire est bien avancée, on se déclare sa flamme, on s'étreint, on échange des baisers. À l'école primaire cependant, les tabous apparaissent. Dans la cour de récréation, chez les grands, les groupes sont rarement mixtes. C'est seulement quand l'année scolaire est bien avancée que les jeux de chat, par exemple, permettent d'attraper, d'enlacer, d'exprimer une sensualité naissante[3]. »

Quant à l'amour des parents pour leurs enfants, il est inutile d'en mentionner l'importance capitale, sauf pour préciser que, lorsqu'il y a plusieurs enfants dans la famille, chacun cherche à savoir qui en a et en aura le plus. L'idée est en effet que l'amour des parents est inextensible. Annie, la dernière d'une fratrie, demande :

Si une maman doit avoir plusieurs enfants, est-ce qu'il y en aura moins [d'amour] pour chacun, que si elle en avait eu qu'un seul ?

Annie, huit ans

La fillette désire sans doute entendre que, bien qu'elle soit la cadette, elle est autant aimée que ses frère et sœur, sinon plus. Il est en effet difficile pour un enfant de comprendre qu'aimer de nouveaux venus n'enlève rien à ceux qui sont déjà là, qu'il reste autant d'amour pour les derniers qu'il y en avait pour les premiers-nés. Le capital d'amour des parents est inépuisable. Il s'accroît en réalité à chaque nouvelle naissance. Cependant, dans le désir des enfants de savoir si leurs parents les aiment plus ou moins que leurs autres enfants, la rivalité entre frères et sœurs joue également : « Lequel tu préfères ? » « C'est lui le préféré, c'est pas juste ! » Dans le même ordre d'idée, il arrive d'entendre de très jeunes enfants revendiquer, face à un frère ou une sœur, la possession exclusive d'un parent : « C'est ma maman à moi ! C'est pas la tienne ! » La frustration est grande d'avoir à partager.

Et la justice dans tout ça ?

L'exclamation « C'est pas juste ! » revient souvent comme un cheval de bataille chez l'enfant à partir de quatre ans. À cet âge, il commence à avoir une idée de ce qui est juste ou injuste, de ce qui est bien ou mal, pour lui en tout cas. Un garçonnet, à qui on a demandé ce qu'il fera quand il sera papa, explique :

C'est sûr, je punirai mes enfants s'ils m'écoutent pas, mais le poisson ils auront le droit de ne pas en manger, c'est vraiment beurk. Je leur donnerai de grosses fessées s'ils font de grosses bêtises et juste des petites fessées pour des petites bêtises. Ils pourront avoir seulement un bonbon par jour, comme ça, ils auront pas de caries[4].

Paul, quatre ans

À la même question, après s'être accordé quelques libertés (il laissera ses enfants regarder la télévision, et pas seulement des DVD), un autre enfant répond :

> Je n'aurai pas besoin d'être très sévère car mes fils seront si bien élevés qu'ils feront tout ce que je leur demande : je dirai "Au bain !" et ils répondront "À vos ordres, capitaine !"
>
> Anatole, cinq ans

En ce qui concerne les menus, Anatole fait la part de ce qui plaît aux enfants mais ne paraît pas raisonnable aux parents, et de ce qui, pour les adultes, est bon pour la santé. Quatre jours de « nuggets », saucisses et frites, pour un jour de « soupe et fruits, pour les vitamines, bien sûr ». Comme on le voit, on est beaucoup plus intransigeant sur la morale à quatre ans qu'à cinq. Mais la distinction entre le bien et le mal reste claire. Elle l'est devenue peu avant l'âge de quatre ans non seulement à cause des réactions des grandes personnes, mais aussi grâce au sens du devoir que les enfants commencent à avoir. À cinq ans, on est simplement devenu un peu plus flexible sur la vision que l'on a du bien et du mal. Et on le deviendra de plus en plus par la suite.

L'enfant, comme on l'a vu au début de ce chapitre, s'insurge contre ce qu'il perçoit comme de grandes injustices : la guerre et la pauvreté, en particulier. Avant de le révolter, ces injustices, lorsqu'il les découvre, provoquent chez lui un grand étonnement. Il pose beaucoup de questions à leur sujet.

Pourquoi il y a des gens qui sont riches et d'autres qui meurent de faim ?

Antoine, sept ans

Cependant, en dehors des problèmes de rivalité, les « C'est pas juste » que les enfants lancent à tout bout de champ ponctuent essentiellement des revendications personnelles au sujet de règles ou d'ordres contestés. « Pourquoi je dois me coucher avant vous ? » dit un enfant qui refuse d'aller se coucher. Il connaît d'avance la réponse : « Parce que tu as cinq, six ou huit ans et que, si tu ne le fais pas, tu seras fatigué demain matin pour aller à l'école. » Mais cette question est sa façon de protester.

Pourquoi on doit toujours apprendre ?

Marc, huit ans

Marc, qui n'a pas envie de faire son travail de classe, n'attend pas de réponse, mais il manifeste ainsi sa mauvaise humeur. De même, Jeanne gémit :

Pourquoi je dois toujours mettre le couvert ?

Jeanne, sept ans et demi

On vient de lui rappeler que, aujourd'hui, c'était son tour de le mettre.

« Pourquoi il faut toujours aller chez le docteur ? » peut demander un jeune enfant ; ou encore : « Pourquoi je dois aller à l'hôpital ? » « Pourquoi c'est toujours moi qui dois aller chez le dentiste ? » Les réponses, qu'il est facile de donner, puisqu'il suffit d'exposer à l'enfant les raisons réelles pour lesquelles on l'emmène chez le docteur, chez le dentiste ou à l'hôpital, ne l'apaiseront pas cependant, car ce qu'il veut, c'est tout simplement échapper à ces corvées. En général, il se moque des raisons alléguées par ses parents. En revanche, même s'il continue à faire preuve de mauvaise volonté, il perçoit bien l'attention qu'ils lui portent. Ils veillent sur sa santé et s'occupent de lui. Cela renforce son sentiment de sécurité. Même lorsqu'il se rebelle contre les interdits (« Pourquoi tu m'empêches toujours de faire ce que je veux ? »), l'enfant sait bien que ses parents œuvrent pour son bien. En fait, il s'insurge contre l'obligation de se soumettre aux exigences de la réalité. Il arrive que des enfants demandent : « À quoi ça sert l'école ? » « Dis papa, pourquoi il faut travailler ? » Travailler ne va pas de soi pour un enfant, même quand cela concerne les autres : « Pourquoi les parents, ils doivent toujours travailler ? » La réponse doit tenir compte de ce que la nécessité de travailler repose en fait sur trois piliers : le désir, le plaisir et l'obligation. Pour ce qui est des enfants, ils travaillent au début pour faire plaisir à leurs parents et à la maîtresse, ou pour ne pas leur déplaire. Ils ne peuvent avoir par eux-mêmes la notion de l'utilité ou de l'importance du travail. Peu à peu cependant, la parole des parents « Il faut faire tes devoirs ! » devient une phrase qu'ils se disent à eux-mêmes : on peut éprouver du plaisir à faire son travail, à apprendre et à avoir de bonnes notes. Mais il faut du temps pour y parvenir, et l'on a besoin des parents pour regarder les cahiers, constater les progrès, faire réciter les leçons, admirer les résultats. Puis, plus on grandit, plus on a envie de se débrouiller seul.

La meilleure réponse des parents et des enseignants à la question de savoir pourquoi il doit apprendre tant de choses à l'école reste néanmoins l'exemple qu'ils donnent à l'enfant.

C'est en voyant ses parents vivre qu'un enfant comprend que savoir des choses, ça peut être utile à soi-même, aux autres, à la société, ou au contraire, que ce qu'on n'a pas eu la chance d'appréhender peut vous manquer parfois cruellement[5].

Claude Boukolza

En outre, le plaisir d'apprendre ne s'apprend pas. L'enfant a besoin d'avoir autour de lui des adultes enthousiastes qui témoignent du plaisir d'apprendre et de s'enrichir de connaissances nouvelles.

Lorsqu'un enfant demande : « Pourquoi papa et maman doivent aller travailler ? », il pose la question de l'obligation de travailler ; mais il peut aussi émettre une plainte : « Pourquoi mes parents me laissent-ils pour aller travailler ? » « Pourquoi ils ne me consacrent pas plus de temps ? » « Pourquoi ils s'intéressent plus à leur travail qu'à moi ? » Il y a bien sûr la réponse habituelle, qui consiste à dire que les parents travaillent pour gagner l'argent qui fera vivre la famille. Cet argent permettra d'acheter à manger, de partir en vacances ou d'avoir une voiture. Cela, les enfants le comprennent, mais seulement à partir d'un certain âge. Avant, les jeunes enfants qui, par exemple, ont vu leurs parents se servir de leur carte bancaire imaginent que « l'argent tombe du ciel ». Ainsi le jeune Jean. Alors qu'il demande à sa grand-mère de lui acheter un jouet et que celle-ci refuse, prétextant qu'elle n'a plus d'argent, il rétorque :

Tu n'as qu'à aller au mur et en prendre [de l'argent] !

Jean, trois ans et demi

Avant quatre-cinq ans, l'enfant n'a aucun sens de la valeur de l'argent. Il sait juste que l'on doit en donner pour recevoir ce que l'on désire. Il ne faut pas hésiter à lui en parler simplement et à lui expliquer que toute chose a un prix.

Pour les très jeunes enfants, le travail, à cause duquel leurs parents les quittent et dont on parle parfois à la maison, constitue une entité mystérieuse, un but ou une occupation au même titre que les autres, mais qui prend beaucoup de temps, et vers lequel vont irrésistiblement les parents. Toutefois, cette occupation n'a pas encore pour eux un caractère d'obligation et de contrainte.

À côté du sens explicite des questions portant sur la nécessité qu'ils ont de travailler, les parents peuvent entendre comme des regrets. Ils quittent la maison pour de longues heures et, quand ils rentrent le soir, ils sont souvent fatigués et énervés. Les enfants ne peuvent pas leur parler comme ils le voudraient, leur raconter leur journée. Ils n'ont pas beaucoup de temps pour jouer avec eux ou pour faire des choses avec eux. Mais c'est surtout la séparation qui est difficile, et cela d'autant plus que l'enfant est jeune.

À cela, les parents peuvent répondre, tout en rappelant la nécessité financière et morale qu'ils ont de travailler, que ce n'est pas parce qu'ils sont loin et occupés qu'ils ne pensent pas à l'enfant : celui-ci est au cœur de leurs pensées. Ils peuvent également mettre l'accent sur l'autonomie que l'enfant prend pendant le même temps. Ainsi, il grandit et devient de plus en plus responsable. Pas trop vite cependant, car tant qu'il est jeune, l'enfant a besoin, en l'absence de ses parents, de la présence à ses côtés d'adultes attentifs. Il a aussi besoin de savoir que ses parents sont joignables en cas de nécessité.

Les « C'est pas juste ! » des enfants ponctuent donc un certain nombre de protestations et de revendications concernant soit ce qu'ils pensent être des inégalités entre frères et sœurs ou entre camarades, par exemple, soit des obligations auxquelles ils refusent de se soumettre. Mais parfois l'inégalité est réelle. Justice ne veut pas forcément dire égalité entre les individus. Les choses ne sont pas si simples. Les êtres humains naissent inégaux, et la vie leur réserve souvent un parcours inégal, ne serait-ce qu'en ce qui concerne leur santé. Dès lors, lorsqu'il y a préjudice, il n'y a pas forcément injustice. Mais il peut y avoir révolte : « Pourquoi les autres ils en ont et pas moi ? »

Il y a des injustices dont les hommes sont pour une bonne part responsables : nous avons déjà parlé de la guerre et de la pauvreté. Là, effectivement, l'enfant peut se tourner vers les adultes qui n'ont pas agi comme il fallait pour faire disparaître ces fléaux. Toutefois, pour ce qui concerne les inégalités dont les hommes ne sont pas responsables – la maladie et la souffrance par exemple –, il n'y a personne contre qui se révolter. Les enfants pensent pourtant, dans certaines circonstances où ils se sentent lésés, que ce n'est pas le sort qui est injuste avec eux, mais les grandes personnes.

Pourquoi les oiseaux peuvent aller dans le jardin et pas nous ? Parce qu'on est en cage ? Et pourquoi ils veulent pas qu'on s'habille ?

Bertha, huit ans

Bertha, qui est hospitalisée, sait bien pourquoi il lui est interdit de sortir, mais elle supporte mal ce manque de liberté[6]. Devant le mal et la souffrance, les enfants ne peuvent que s'en prendre aux adultes qui devraient veiller à ce que rien de mal ne leur arrive jamais. Ils les rendent responsables, du moins en paroles, de toutes leurs misères. Parfois cependant, une question exprime tout simplement le désarroi : « Pourquoi moi ? » s'écrie un enfant atteint d'une maladie invalidante ; comme une mère pourrait dire : « Pourquoi mon enfant ? »

Et Dieu, qu'est-ce qu'il fait ?

De la même façon que Florian s'adressait à son père pour lui demander pourquoi il n'avait pas tué la guerre, un petit garçon interpelle Dieu dans sa prière du soir :

Mon Dieu ! Pourquoi avez-vous fait que les microbes existent ?

Léo, quatre ans et demi

Si Dieu est la bonté même, pourquoi a-t-il créé le mal, la souffrance et la mort ? Pourquoi en tout cas les permet-il ?

Pourquoi Dieu, il laisse les gens tomber malades ?

Coralie, six ans.

Se trouve ainsi posée l'immense question de la souffrance et du mal. Dans ce domaine, les interrogations de l'enfant rejoignent exactement celles de l'adulte. Philosophes et théologiens réfléchissent à ce mystère : pourquoi Dieu, s'il est bon, ne secourt-il pas les hommes ?

L'existence du mal et de la souffrance peut faire douter les adultes de l'existence d'un Dieu bon, voire l'existence même de Dieu. Il ne semble pas que ce soit le cas des jeunes enfants. Lorsqu'ils posent des questions à ce sujet en effet, ils expriment seulement leur stupéfaction devant l'imperfection des instances supérieures : elles devraient être parfaites, comme le sont en général les parents. « Pourquoi y a des méchants ? » « Pourquoi Dieu, il permet qu'il y ait des malades ? » Ils ne comprennent pas, mais on peut leur répondre que cette question reste aussi un mystère pour les adultes. Peut-être un jour celui-ci sera-t-il éclairci dans l'au-delà, si nous croyons qu'il y en a un ?

L'enfant peut alors exprimer son anxiété à travers ses questions, et chercher un soutien auprès de l'adulte afin que celui-ci le rassure quant à ses craintes d'être lui-même touché par le mal.

Mon Dieu ! Faites que les météorites ne tombent pas sur Marseille !

Olivier, cinq ans et demi

Ainsi prie un petit garçon habitant Marseille qui vient d'entendre parler de météorites. Cet enfant est sans doute d'un tempérament anxieux. Rappelons que, lorsqu'il entend parler d'un éventuel danger, le jeune enfant ne peut envisager celui-ci qu'en fonction des menaces qu'il pense devoir peser sur lui personnellement du fait de ce danger.

Le jeune enfant ne peut imaginer Dieu que sous des aspects entièrement humains. « Dieu, c'est un homme ou une femme ? » « Pourquoi il dit rien Dieu ? » « Pourquoi on le voit pas Dieu ? » « Mais comment Dieu y fait pour être dans le ciel ? » Le mystère de l'existence de Dieu étonne cependant assez peu l'enfant. Encore en partie baigné dans un monde magique, il peut aussi bien imaginer Dieu comme Superman, par exemple. Ainsi, un enfant avait demandé : « Comment on sait que Dieu existe ? » Après qu'on lui eut donné quelques arguments en faveur de l'existence de Dieu, il avait aussitôt posé une nouvelle question : « Les extraterrestres, ça existe ? » De là à penser que cet enfant avait fait le rapprochement entre Dieu et les extraterrestres...

Dans le domaine religieux, le jeune enfant reste pragmatique. Vivant essentiellement dans le concret, il a besoin d'une culture religieuse très imagée. En outre, il se projette selon le mode qui lui est habituel. Mathieu, qui reçoit une éducation religieuse catholique, demande ainsi :

Jésus, il allait au cathé quand il était petit ?

Mathieu, huit ans

L'enfant, nous le savons, ne peut imaginer un autre temps que le sien et d'autres gestes que les siens. Il transporte donc le temps où a vécu le Christ et les coutumes de cette époque dans son temps à lui.

En fait, le jeune enfant ne pose pas de questions à propos de l'existence même de Dieu. Apparemment, il ne s'en pose pas non plus. Il y croit volontiers s'il a autour de lui des personnes qui y croient et lui apprennent à y croire. Il peut porter à Dieu un amour sincère et même être mystique. C'est d'ailleurs ce côté mystique qui l'attire souvent le plus dans la religion.

Si l'existence de l'univers va de soi, s'il ne se pose pas de question sur la nécessité d'un Dieu, le jeune enfant ne se pose pas non plus de questions sur le pourquoi de sa propre présence sur terre. En fait, cette « grande » question métaphysique que d'aucuns lui prêtent parfois (Qu'est-ce que je fais sur terre ?) ne le préoccupe pas le moins du monde. Il est là, tout simplement, et cela lui suffit. Il est là et il vit le moment présent, intensément. Sans arrière-pensées, sans regrets ni remords pour le passé, sans craintes pour l'avenir, le jeune enfant apprécie pleinement l'instant présent. Il suffit pour cela que le bonheur d'être entouré par les êtres qu'il aime et qui sont heureux d'être avec lui l'emplisse.

Marthe – quatre ans –, sa sœur et son père sont assis par terre sur le tapis du salon. Ils jouent tout en bavardant. Tout à coup, Marthe s'écrie : « Ça, c'est la vie ! » L'enfant a senti, dans ce moment tout simple de paix, d'accord et d'échanges affectueux, l'essence même de la vie, le « miracle, quotidiennement renouvelé, d'appartenir au monde [7] ».

LE MERVEILLEUX ET LE MAGIQUE

« Je veux qu'on donne du merveilleux à l'enfant tant qu'il l'aime et le cherche, et qu'on le lui laisse perdre de lui-même sans prolonger systématiquement son erreur dès que le merveilleux n'étant plus son aliment naturel, il s'en dégoûte, et vous avertit par ses questions et ses doutes qu'il veut entrer dans le monde de la réalité. » C'est ce qu'écrit George Sand au début de son autobiographie, mettant ainsi l'accent sur le fait que le petit enfant vit naturellement dans le merveilleux[8]. « J'avais vécu, dit-elle encore, comme vivent les petits enfants, et comme vivent les peuples primitifs, par l'imagination. »

À l'appui de cette supplique en faveur de la préservation de ce monde fantastique de l'enfance, George Sand raconte la première expérience qu'elle a faite de l'écho. Alors qu'elle se tenait seule sur la terrasse du palais où résidait sa famille à Madrid, le grand silence qui régnait lui faisant peur, elle appela un serviteur qui passait sur la place au-dessous. Celui-ci ne l'entendit pas, mais une voix toute semblable à la sienne lui renvoya son appel. Surprise de ne trouver personne dans l'appartement qui aurait contrefait sa voix, elle recommença l'expérience pendant plusieurs jours, jusqu'au moment où sa mère la surprit en train de s'égosiller.

Il n'y avait plus à reculer ; je lui demandai où était le quelqu'un qui répétait toutes mes paroles, et elle me dit : "C'est
l'écho." Bien heureusement pour moi, elle ne m'expliqua pas
ce que c'était que l'écho [...] et l'inconnu garda pour moi sa
poésie. [...] Cette voix de l'air ne m'étonnait plus, mais me
charmait encore ; j'étais satisfaite de pouvoir lui donner un
nom[9].

George Sand

Vivre dans le merveilleux

L'enfant jeune vit dans le merveilleux. Le fantastique ne
l'étonne guère. Il y est à l'aise, et les théories qu'il construit
dans son for intérieur pour expliquer les phénomènes qu'il ne
comprend pas ne tiennent pas obligatoirement compte de la
réalité. Si besoin est, il réussira à y intégrer les explications que
les grandes personnes lui donnent, même les plus « scientifiques ». À ce stade, l'enfant pose toutes sortes de questions,
mais quoi qu'on lui réponde, il réussit en général, à l'instar de
la jeune George Sand, à garder sa part d'imaginaire. Peu à peu
néanmoins, à partir de six-sept ans, sa pensée devient rationnelle, et il abandonne le fantastique pour entrer dans le monde
réel.

Ce besoin de merveilleux ne disparaît pourtant pas complètement lorsque l'enfant grandit. Le grand enfant et l'adolescent y
ont encore recours par moments, sans qu'ils osent toujours se

l'avouer. Il n'y a qu'à voir le succès des livres et des films de Harry Potter. Nous avons vu une jeune adolescente parfaitement adaptée à la vie réelle qui, après avoir terminé la lecture d'un volume de cette célèbre série, a essayé furtivement de concocter des breuvages magiques à l'aide d'ingrédients étranges et assez peu comestibles. La même adolescente jouait avec entrain aux poupées avec ses très jeunes sœurs quand elle pensait qu'aucun adulte ne la voyait.

Pour s'adapter aux contingences de la réalité, l'enfant a réellement besoin de s'échapper de temps en temps dans l'imaginaire. À quatre ans, son univers en est rempli. L'imagination protège ses rêves, ses souhaits, sa capacité à envisager le futur. Elle lui permet surtout de s'expliquer à sa façon ce qu'il ne comprend pas ou ne connaît pas du monde des adultes, ainsi que d'y trouver une place. La confrontation à ce monde est rude. L'évasion dans l'imaginaire, où l'on peut se ressourcer, aide à y faire face plus sereinement. Les adultes eux-mêmes en font l'expérience.

Pour les enfants, la forêt de *Princesse Mononoké*, la station balnéaire du *Voyage de Chirico*, la citadelle abandonnée du *Château dans le ciel*, la maison du magicien dans *Le Château ambulant*, sortis tout droit de dessins animés japonais, sont autant de lieux magiques où tout peut arriver. Les enfant ne sont pas étonnés.

L'enfant vit tout naturellement dans un milieu pour ainsi dire surnaturel, où tout est prodige en lui, et où tout ce qui est en dehors de lui doit, à la première vue, lui sembler prodigieux [10].

George Sand

Chez l'enfant, l'imagination transfigure le quotidien. Il n'a d'ailleurs pas toujours besoin d'inventer des personnages ou des lieux pour s'émerveiller. Des personnages réels dont il entend parler ou dont il découvre l'existence dans les livres d'images peuvent susciter chez lui des fantasmes extraordinaires. Émile Zola raconte l'histoire d'une fillette, Angélique, qui avait découvert un exemplaire très ancien de *La Légende dorée*, de Jacques de Voragine. Elle ne s'était d'abord guère intéressée qu'aux images. Celles-ci étaient des illustrations de la Bible et de la vie des saints. Puis elle avait peu à peu réussi à décrypter le texte, apprenant ainsi à lire. Tous ces personnages, toutes ces histoires la ravissaient.

Ses pleurs coulaient, elle en rêvait la nuit, elle ne vivait plus que dans ce monde tragique et triomphant du prodige, au pays surnaturel de toutes les vertus, récompensées de toutes les joies [11].

Émile Zola

Les contes

Il ne faut pas croire pour autant que vivre dans le merveilleux est de tout repos. L'imagination des jeunes enfants est riche, mais aussi confuse. Leur monde intérieur est peuplé de toutes sortes de figures et d'images qu'ils ne parviennent pas à bien discerner, et qui sont parfois effrayantes.

C'est pourquoi les contes, les contes de fées en particulier, ont une si grande importance dans l'enfance. Ces histoires fantastiques permettent de donner une forme aux sentiments qu'éprouve confusément l'enfant, de donner une figure aux peurs intérieures qui l'assaillent. C'est que, dans les contes, on reconnaît facilement les gentils et les méchants. Il n'y a pas de place pour l'ambivalence des sentiments qui trouble si fort les enfants – la coexistence de l'amour et de la haine, par exemple, à l'égard des parents.

Par ailleurs, aussi surprenant que cela puisse paraître, les personnages les plus effrayants des contes ne semblent pas terroriser les enfants. Ainsi, des enfants de CM1, âgés donc de huit-neuf ans, à qui on avait lu l'histoire de Barbe Bleue, avaient été enchantés. « Ces histoires de femmes assassinées, de clé et de sang qui ne s'efface pas, les [avaient] passionnés, sans les faire frémir [12]. » Les contes peuvent en effet être très proches de l'univers intérieur des jeunes enfants. Les adultes oublient souvent combien certains fantasmes de la petite enfance sont inquiétants. Craignant que les ogres ou les sorcières terrorisent les enfants et leur fasse avoir des cauchemars, quelques-uns d'entre eux recommandent de ne pas leur raconter de contes, surtout le soir, avant qu'ils s'endorment. En fait, les contes ont un effet inverse : ils canalisent les peurs. Puisqu'ils donnent une existence réelle, quoique imaginaire, aux « fantômes » intérieurs, ils mettent de l'ordre dans le magma des sentiments et des images internes, souvent effrayantes. En donnant vie à des personnages issus du chaos intérieur, ils rendent celui-ci moins angoissant. Si certains passages des contes font peur, c'est parce qu'ils renvoient l'enfant à des désirs et à des pulsions difficiles à maîtriser, et non parce qu'ils sont effrayants par eux-mêmes. Au lieu de ressentir une anxiété due à des remous obscurs, l'enfant, à l'écoute du conte, peut fixer sa peur sur un objet précis, savoir de quoi il a peur et manifester sa frayeur. Les peurs internes prennent corps à l'extérieur. C'est donc pour lui plus une occasion de se rassurer que d'avoir peur.

Le poète Rainer Maria Rilke, parlant de la vision qu'il avait, petit, du temps où il saurait lire, décrit bien le soulagement qu'il imaginait être le sien lorsque la vie ne viendrait plus que du dehors, « ainsi qu'autrefois du dedans ». Il pourrait à ce moment-là surmonter « cet illimité si singulier de l'enfance, que jamais l'on n'avait dominé du regard [...]. Plus l'on regardait au-dehors, plus l'on remuait de choses au fond de soi : Dieu sait d'où elles venaient ! [...] Il était facile à observer que les grandes personnes n'en étaient que fort peu inquiétées ; elles allaient et venaient, jugeaient et agissaient, et lorsqu'elles se heurtaient à des difficultés, celles-ci ne tenaient jamais qu'aux circonstances extérieures [13] ».

Il en va un peu de même avec les rêves.

Rêves et cauchemars

Jusque tard dans sa troisième année, l'enfant ne sait pas qu'il rêve.

L'enfant rêve dans le sommeil, et il rêve aussi sans doute quand il ne dort pas. Du moins, il ne sait pas, pendant longtemps, la différence de l'état de veille à l'état de sommeil[14].

George Sand

L'enfant fait souvent des rêves angoissants : une expérience effrayante de la vie éveillée s'y répète indéfiniment. Il a alors peur de se rendormir et peut même refuser d'aller se coucher.

D'où ça vient les rêves ?

Constant, huit ans

Les enfants sont intrigués par l'origine des rêves. Ils ont du mal à imaginer qu'ils viennent d'eux. « [L'enfant] a beau dire que le rêve vient de ce qu'"on sait quelque chose", et il a beau accepter notre suggestion suivant laquelle le rêve sort de la tête, il n'en situe pas moins le rêve [...] dans l'endroit où est la chose dont on rêve. Bien plus, il admet que les personnes dont on rêve sont cause du rêve[15]. » L'enfant, tout en considérant le rêve comme une image qui se promène devant lui pour l'illusionner, continue donc à penser que cette image, tout en faisant partie de la personne qu'elle représente, est en même temps dans sa chambre. Cette image est d'ailleurs conçue comme émanant de la personne, de la même façon que les noms émanent des choses et sont les choses elles-mêmes (voir « Pourquoi ça s'appelle comme ça ? », p. 126).

L'enfant est souvent persuadé que ce qu'il voit dans ses rêves existe quelque part, bien que ce soit une illusion. « Hugo, âgé de sept ans, est effrayé par des monstres qu'il voit toutes les nuits dans ses rêves. Il ne croit pas aux monstres, en vérité, mais il croit aux fantômes et au diable, car s'ils n'existent pas, pourquoi les voit-il toutes les nuits dans ses rêves[16] ? » D'une certaine façon, pour Hugo, ces êtres imaginaires sont donc bien réels.

Mais c'est chez les tout-petits, à partir de deux-trois ans, que les frayeurs nocturnes sont les plus fortes. L'enfant qui, à ce stade, devient autonome et cherche à tout faire seul, peut ressentir confusément une certaine angoisse : à force de vouloir prendre son indépendance, il risque de rester seul. De surcroît, privé la nuit de ses repères familiers, il laisse libre cours à son imaginaire. Les monstres envahissent alors sa chambre et, comme il ne peut faire la part de ce qui est imaginaire et de ce qui est réel, il a peur et fait des cauchemars. Quand il hurle et pleure, ce ne sont pas des caprices. Les parents le savent bien, qui mettent en place un certain nombre de rituels (doudou, veilleuse, biberon) pour le rassurer et lui apprendre à rester seul.

Outre ce qui les effraie, les enfants voient fréquemment dans leurs rêves ce qu'ils désirent vivement : la sucette ou le gâteau convoités dans la journée, par exemple. Ces sortes d'hallucinations peuvent d'ailleurs mener à des déceptions douloureuses. L'enfant croyait si fort à l'existence matérielle de l'objet ou de la personne vus en rêve qu'il les cherche désespérément au réveil, ne comprenant pas qu'ils ne soient pas auprès de lui. Ainsi ce petit garçon dont la mère est morte et qui s'exclame, plein de chagrin et de fureur : « Pourquoi maman n'est-elle pas revenue avec moi ? À quoi ça sert mes cauchemars si elle ne se réveille pas elle aussi [17] ? »

Est-ce qu'une personne pourrait tomber hors du globe terrestre ? Je veux dire..., si quelqu'un arrivait au bord du globe, est-ce qu'il pourrait tomber en bas, de plus en plus bas, bas, bas [18] ?

Roger, presque six ans

Son interlocuteur explique alors à cet enfant la forme de la Terre et les lois de la pesanteur : ce n'est pas possible que quelqu'un tombe de la Terre. Mais Roger ne peut abandonner son idée. Finalement, il ajoute : « Tu sais, quelquefois, je rêve que je tombe, tombe, tombe, et puis je me réveille. » Les expériences sensorielles qui accompagnent son rêve sont si réelles qu'il ne peut se débarrasser de l'idée primitive d'une Terre plate, du bord de laquelle on risquerait de tomber – idée répandue chez les enfants.

Coexistence du réel et de l'imaginaire

Certaines grandes personnes sont de plain-pied avec l'imaginaire des enfants. Elles n'ont pas d'effort à faire pour comprendre et ressentir ce qu'ils éprouvent eux-mêmes. Le monde fantastique qu'elles inventent peut être celui dans lequel l'enfant « navigue » à l'aise. Pourtant, à la différence des enfants, ces personnes, lorsqu'elles sont plongées dans le merveilleux, savent bien qu'elles ne sont pas dans la réalité, et *vice versa*. Pour elles, fantastique et réel ne peuvent coexister. Les jeunes enfants, en revanche, sont capables de vivre en même temps dans l'imaginaire et le réel.

Un petit enfant, par exemple, mange sa purée. Son père fait un monstre avec sa serviette. L'enfant a peur. Si le père déplie la serviette, il n'a plus peur : il n'y a plus de monstre, mais une serviette. Mais si le père refait un monstre avec sa serviette, l'enfant a de nouveau peur. Pourtant, autour de lui, rien n'a changé : la table est à sa place, ses parents aussi. La « serviette-monstre » et la « serviette-serviette » existent autant l'une que l'autre. La purée reste la purée, ce qui ne l'empêche pas d'être en même temps une montagne avec des tunnels, de la neige ou le sable au bord de la mer, avec lequel on peut faire des pâtés.

L'enfant a besoin d'histoires. Il a besoin de fantastique.

L'enfance [...] est le royaume de la fabulation. Un enfant privé d'histoires est un enfant mort [19].

Christiane Singer

Christiane Singer rapporte le cas d'un garçon de neuf ans que des « troubles psychiques graves mettaient au bord de l'autisme. [...] Un mois de lectures régulières de contes eut raison du refus qu'il avait manifesté à vivre ». Cet enfant vivait dans une famille très aimante, mais où tout imaginaire était banni au profit d'une rationalisation à outrance. L'enfant a besoin de se raconter des histoires. Il a également besoin qu'on lui en raconte. (Mais, rappelons-le, sans rien changer d'une fois sur l'autre aux détails d'une même histoire.)

Quand les adultes regardent un film d'horreur, ils savent que ce qu'ils voient est imaginaire. Cela ne les empêche pas de se sentir défaillir et d'être parfois effrayés. Cependant, à la différence des enfants, ils sont mieux à même de prendre conscience du fait qu'ils sont le jouet de leur imagination. Les enfants jeunes, pour leur part, se laissent facilement submerger par les émotions ; ils ne sont pas encore capables de les réguler.

Le monde imaginaire du jeune enfant peut être si prégnant qu'il prime le monde réel. La petite Jeanne se promène dans un parc. Elle aperçoit un dalmatien. Extrêmement surprise, et cherchant sans doute la confirmation de ce qu'elle voit, elle interroge :

> Oh ! Ça existe en vrai les dalmatiens ?
>
> Jeanne, quatre ans et demi

Jusque-là, elle n'a vu des chiens de cette race que dans des livres ou des films. Cependant, ces images lui ont semblé à ce point vivantes que, bien qu'elle ait su qu'elle ne voyait pas de vrais chiens, les animaux représentés avaient pour elle une existence réelle. Alors, lorsqu'elle voit un « vraiment vrai » dalmatien, le choc est grand.

Le jeune enfant, qui donne ainsi naturellement vie aux êtres issus de son imagination, est également enclin à adopter les croyances venant de son milieu. Il ne s'agit plus là de personnages tirés de son monde intérieur, mais de suggestions en provenance de l'extérieur. Nous pensons en particulier à la croyance au père Noël, croyance qui pourrait être qualifiée de sociale dans la mesure où tous, enfants et grandes personnes, sont pris dans une mise en scène commune. Les adultes sont d'ailleurs les premiers à préserver et à entretenir cette croyance. En effet, elle leur rappelle des souvenirs qui confinent au merveilleux et les relient à leur propre enfance, dans la relation à leurs parents.

Le mythe du père Noël

Pour les enfants très jeunes, il est naturel de croire au père Noël. Ils ne posent aucune question sur l'existence de ce personnage quasi surnaturel. Ils en posent en revanche beaucoup sur ses particularités. Ce bonhomme, il faut le reconnaître, est bien étrange. Ainsi, les enfants cherchent à savoir comment le père Noël fait pour ne pas se brûler quand il descend dans la cheminée. Toutefois, ils ne s'étonnent pas de voir simultanément un grand nombre de pères Noël dans la rue, dans les magasins, dans les maisons, ni de découvrir des incohérences flagrantes à son sujet.

En fait, l'enfant, même plus grand, jusqu'à six-sept ans, veut y croire. Bruno Bettelheim raconte l'histoire d'un petit garçon très intelligent de six ans à qui ses parents décidèrent de dire que le père Noël n'était qu'une invention. « À la Noël suivante, ils lui firent donc comprendre que le père Noël qu'il avait devant lui n'était autre que l'un de ses oncles. Alors l'enfant, au bord des larmes, s'écria : "Pourquoi le *vrai* père Noël n'est-il pas venu me voir, *moi* ?" [...] Ses parents eurent beau lui dire que les autres enfants ne recevaient pas non plus la visite du "vrai" père Noël, il resta persuadé qu'il était le seul à ne pas le voir. "Ce n'est pas possible, dit-il, l'oncle John ne peut pas visiter tous les enfants !"[20] »

Cette réflexion était pleine de bon sens. Remarquons cependant qu'elle n'est jamais posée à notre connaissance à propos du père Noël, pourtant censé rendre visite à tous les enfants du monde. C'est que, sans doute, le père Noël est un personnage magique : pour lui, tout est possible. Dans le cas présent, l'argumentation des parents du petit garçon, qui affirmaient que, chez tous les enfants, c'est un oncle ou un ami de la famille qui fait le père Noël, ne réussit pas à convaincre l'enfant. Celui-ci s'entêtait, répliquant : « Peut-être, mais pour beaucoup d'enfants, c'est le *vrai* père Noël qui vient ! »

On voit comment cet enfant ne pouvait supporter de voir son monde magique s'écrouler. C'est ce qui est arrivé à un autre petit garçon, âgé quant à lui de cinq ans, à qui sa mère avait décidé de dire que le père Noël n'existait pas. « Ce n'était, lui dit-elle, qu'une jolie histoire qu'on racontait aux enfants. [...] Le petit garçon sembla accepter cette explication. Mais, un peu plus tard, il demanda : "Et si le feu est allumé quand le père Noël descend dans la cheminée ?" Sa mère trouva sa question stupide car il n'y avait pas de cheminée dans leur immeuble [...]. Mais, au milieu de la nuit, l'enfant se réveilla et demanda : "Est-ce qu'il y a un père Noël ?" »

La mère de cet enfant ne savait plus quoi répondre à son fils, qui ne pouvait à l'évidence accepter ses explications. À la limite, elle aurait pu admettre les fantasmes de son enfant, mais elle refusait de croire qu'il imaginait que le père Noël pourrait descendre par une cheminée qui n'existait pas. « Ce qu'elle estimait stupide semblait à son fils parfaitement sensé : puisqu'il croyait au père Noël, il savait qu'il descendrait par la cheminée. [...] Il est difficile de comprendre cette logique si on l'approche avec l'esprit rationnel d'un adulte, mais, pour l'enfant, c'est tout à fait normal [21]. » Le père Noël descend toujours par le cheminée. Par conséquent, si l'on croit au père Noël, on croit qu'il arrive par la cheminée, même s'il n'y en a pas chez soi.

Un autre exemple donné par Bruno Bettelheim montre que « rien ne peut ébranler le désir ou le besoin d'un enfant de croire au père Noël s'il n'est pas encore prêt à renoncer à cette image sympathique en faveur de la froide réalité ». Il s'agit d'un garçonnet de cinq ans de religion juive. Celui-ci se rend la veille de Noël dans un supermarché avec sa mère. Tandis que celle-ci fait ses emplettes, l'enfant se promène dans le magasin. Au bout d'un moment, il revient, très excité, et annonce à sa mère : « J'ai parlé au père Noël ! – Et que lui as-tu dit ? – Je lui ai demandé comment il pouvait savoir si les petits enfants étaient juifs ou chrétiens. » La famille de cet enfant étant juive, elle ne célébrait pas Noël, mais l'enfant en connaissait la tradition par la télévision et l'école. Il est clair que, étant donné son âge, il avait lui aussi besoin de croire à ce personnage magique dont il connaissait l'existence mythique.

Vient cependant le moment où l'enfant est prêt à accepter la « dure » réalité, à savoir que ce sont les parents qui apportent les cadeaux. Les choses se font en général progressivement. Dans un premier temps, l'enfant se refuse à croire l'information, souvent donnée par d'autres enfants, selon laquelle le père Noël n'existe pas. Ainsi le jeune Lucas, dont le cousin s'est moqué. Il lui a dit que tout ça, c'était des histoires racontées aux bébés. Lucas arrive en pleurs auprès de sa mère, cherchant à être consolé :

Hein, maman, hein qu'il existe le père Noël ?

Lucas, cinq ans et demi

Dans un deuxième temps, l'enfant sait sans savoir. Il a bien intégré le fait que les parents offrent les cadeaux, mais, comme s'il ne connaissait pas la vérité, il semble encore croire au père Noël. En fait, il a toujours besoin d'imaginaire et de magie, et, d'une certaine façon, il continue à y croire. Toutefois, s'il a de plus jeunes frères ou sœurs qui y croient encore, c'est une période de connivence avec les parents, période des clins d'œil et des sous-entendus. C'est aussi la période où l'on peut encore rêver tous ensemble. Le dernier temps, évidemment, est celui où l'enfant a abandonné toute croyance, triste, mais fier d'être passé dans le clan des grandes personnes.

C'est que le père Noël est le symbole d'un monde bienveillant et gratifiant, celui de la générosité gratuite et du bon vouloir de l'univers. Ce mythe est la projection du monde tel que le conçoit le petit enfant. Le père Noël représente le parent parfait, celui qui donne sans compter et à qui il n'est pas besoin de dire merci. La générosité est en effet ici sans retour. Les cadeaux donnés au nom du père Noël sont en principe gratuits. Il n'est nul besoin pour les recevoir d'avoir été sage ou de les avoir mérités. S'il y a des remerciements à faire, c'est au père Noël qu'il faut les adresser.

Quant à savoir s'il faut ou non dire la vérité sur le père Noël aux enfants, il semble une fois de plus que seule l'écoute de l'enfant doive guider la conduite à tenir. En fait, ce qui compte pour l'enfant est ce qu'il a envie d'entendre. Il est inutile d'essayer de lui imposer une réalité qu'il ne peut ni ne veut admettre, de même qu'il serait absurde de vouloir le préserver de cette réalité s'il est prêt à l'accepter. À l'enfant qui a besoin d'être rassuré quant à la permanence du père Noël, on peut répondre que celui-ci existe bel et bien, même si les grandes personnes n'y croient plus. On peut même ajouter, si l'on sent que l'enfant hésite entre y croire ou non : « Si tu as envie d'y croire, tu le peux. C'est à toi de choisir. »

Pour l'enfant qui arrive mécontent parce que, dit-il, on lui a raconté des histoires, la question ne se pose pas. Il est préférable de lui dire la vérité en douceur. Il la connaît déjà, mais l'appréhende peut-être un peu. Tel est le cas de Martine, qui se dirige un soir vers son père, très en colère :

Tu m'as menti. Le père Noël, il existe même pas. C'est Caroline qui me l'a dit !

Martine, six ans

Son père a beaucoup de mal à consoler la fillette en lui expliquant que les cadeaux qu'elle a reçus jusque-là à Noël sont le signe de l'amour de ses parents, qui ont préféré lui en faire la surprise.

Voici comment Françoise Dolto avait expliqué le père Noël à son fils Carlos : « Le père Noël, il n'est pas né, il n'a pas eu un papa, une maman. Il n'est pas vivant, il est vivant seulement au moment de Noël, dans le cœur de tous ceux qui veulent faire une surprise pour fêter les petits enfants [...]. Le vrai père Noël, il n'est que dans notre cœur [22]. »

À partir du moment où l'enfant sait que le père Noël est un mythe, Françoise Dolto recommandait aussi de lui dire à propos des cadeaux qu'il voulait faire à ses parents : « À partir de maintenant que tu sais que ce sont les parents qui donnent le cadeau de Noël, tu peux être toi le père Noël, ça veut dire que tu donneras à tes parents quelque chose dont tu sais ou tu supposes qu'ils auraient envie, tu le leur donnes et surtout tu ne leur diras pas que c'est toi. [...] Alors l'enfant se met à être dans le jeu du mythe et c'est extraordinairement poétique pour lui [23]. »

Progressivement, les enfants arrivent en général à la conclusion que le père Noël, c'est les parents. Ils ne voulaient pas le croire, mais ils ont entendu des camarades en parler. Ils ont surpris des conversations, des sourires et des clins d'œil complices chez les grandes personnes. Ils ont pu apercevoir des cadeaux dans la maison avant le jour de Noël. Leur sens de la réalité devenant plus aigu, ils font des recoupements et s'aperçoivent peu à peu de l'irréalité de leur croyance. Mais tant qu'ils ont besoin de merveilleux, pourquoi ne pas les laisser y croire, comme à la petite souris et aux œufs de Pâques ? Puisque cela nous fait aussi plaisir.

La pensée magique

Les enfants, entre deux ou trois ans et cinq ans surtout, sont imprégnés de magie. La pensée magique qui, selon les individus, perdure tout au long de la vie à des degrés divers, est propre au petit enfant. Les songes et les fantaisies éveillés sont presque aussi magiques que les rêves nocturnes. L'enfant, qui fait en grande partie corps avec le monde environnant, croit en la toute-puissance de ses désirs. Ceux-ci sont impérieux, mais étant donné sa faiblesse et son impuissance, il n'a pas la maîtrise matérielle de l'environnement. Il croit donc pouvoir satisfaire ses désirs par la pensée. Il s'agit d'une pensée subjective qui surestime le pouvoir de l'intellect aux dépens de la réalité extérieure, matérielle et objective. C'est le « Je veux » et « Je pense, donc cela est ».

Au fond, tout ce que [l'enfant] cherche à obtenir par des moyens magiques ne doit arriver que parce qu'il le veut [24].

Sigmund Freud

Pour le petit enfant, tout est possible quand il s'agit d'obtenir ce que l'on veut. Le principe de plaisir prime le principe de réalité. Ainsi ce garçon de quatre ans, à qui sa grand-mère a dit au téléphone qu'elle s'entraîne à attraper le Soleil. Pas le moins du monde étonné, et lui rendant visite quelque temps après, il l'accompagne dans le jardin où elle essaie de lancer une pelote de ficelle vers le ciel. Mais la ficelle retombe. Sa grand-mère lui dit qu'elle est trop courte, et qu'il faut qu'elle s'en procure une plus longue. Un peu plus tard, elle lui demande ce qu'il fera du Soleil quand elle l'aura attrapé. « Je le donnerai à maman et papa », répond l'enfant, qui semble trouver naturelle la question de sa grand-mère[25]. Quant à cette grand-mère, sans doute a-t-elle gardé ou retrouvé le sens du magique, mais, à la différence de l'enfant, elle y fait appel en connaissance de cause. Sans doute a-t-elle aussi le désir de se mettre au niveau de son petit fils ? Mais peut-être aurait-il mieux valu qu'en tant qu'adulte elle ne sorte pas, dans son discours, de la réalité, et qu'elle s'abstienne de faire des propositions complètement imaginaires ? En effet, pour grandir et passer du rêve à la réalité, le jeune enfant a besoin qu'on lui montre doucement la voie vers le monde réel.

Il est vrai que la pensée magique du petit enfant a été comparée à celle de l'homme primitif. Pour l'un comme pour l'autre, les phénomènes naturels sont expliqués par l'animisme, les objets matériels ayant une âme, un esprit et des sentiments. Par la magie, l'homme primitif cherchait à soumettre les phénomènes de la nature à sa volonté, à se protéger de ses ennemis et des dangers et à obtenir le pouvoir de nuire à ses ennemis. Des croyances de ce type peuvent encore se rencontrer chez les « anciens », dans certaines régions un peu reculées. Ainsi en était-il d'un petit village de Sicile où, la terre venant de trembler, des gamins « posaient des questions auxquelles personne ne pouvait répondre. Pourquoi la terre a-t-elle tremblé ?

Retremblera-t-elle ? ». Alors Carmela, une « ancienne » du village, avait dit à voix basse : « Oui, la terre retremblera [...] parce que les morts ont faim [26]. »

La pensée magique apporte une explication à tous les mystères, ne serait-ce qu'à celui de savoir qui a mangé le dernier morceau de gâteau restant sur le plat dans la cuisine. Dans ce type de circonstances, les enfants ont une imagination débordante pour trouver une explication. Dans le cas présent, l'enfant coupable est en même temps conscient de sa faute et persuadé que ce qu'il allègue est la vérité. Son mensonge n'en est donc pas vraiment un. S'il accuse le chat, c'est comme si le chat avait réellement mangé le gâteau ; d'une certaine façon, c'est comme si ce n'était pas lui. On en revient ainsi aux contes de fées.

Un coup de baguette, et la face du monde est changée. On le sait bien, à la fin, les coupables seront punis et les pauvres recevront des écus d'or. Mais l'essentiel est bien le chemin pour y parvenir, avec cette vague incertitude qui plane tout au long de l'histoire. Et les contes s'arrêtent prudemment avant que le héros ne devienne adulte [27].

Marie-Louise Audiberti

En dehors de la baguette des fées ou du balai des sorcières, toutes sortes d'objets de la vie courante peuvent être dotés de pouvoirs magiques. Ces objets permettront la réalisation immédiate de souhaits impossibles à réaliser dans le monde réel. Ainsi en est-il du miroir de Blanche-Neige, que la méchante reine interroge pour savoir qui est la plus belle, ou de celui de Harry Potter, qui permet de revoir le passé ou de réaliser ses désirs les plus chers. Outre leur pouvoir magique, ces objets inanimés auxquels sont attribués des pouvoirs factuels répondent parfaitement à l'animisme enfantin, qui « perdure bien au-delà de l'âge de sept ans, dit âge de raison, où l'enfant ferait preuve d'une pensée réaliste [28] ».

Même sans parler de pensée magique, beaucoup de choses sont possibles dans le monde de l'enfant, encore peu rationnel et peu réaliste. Michel Leiris raconte qu'enfant, lorsqu'il écoutait un duo chanté sur le phonographe, il s'était longtemps représenté deux petits personnages placés dans la partie sombre et étranglée du pavillon. Ces chanteurs lui semblaient « aussi perdus que des chanteurs réels regardés par le gros bout d'une jumelle de théâtre [29] ». Dans le même esprit, une fillette avait demandé à ses parents quand sortiraient du poste de radio les petites ballerines qui dansaient sur la musique qu'elle était en train d'écouter.

La pensée magique culmine vers quatre ans. Puis la réalité prend peu à peu le pas. L'enfant fait des allers et retours entre le monde tel qu'il est et le monde tel qu'il le rêve. Vers six ans, les « idées anciennes et nouvelles se mélangent ». Chaque fois en effet que l'enfant « est en présence de faits qui ne peuvent être confirmés, il revient à la pensée primitive [...]. Mais, dans l'ensemble, [...] il a renoncé à la magie [...] et succombe presque toujours devant les forces supérieures de la raison [30] ». Vers dix ans, on trouve encore un « mélange d'innocence et d'apparence des connaissances ». Le monde des enfants de cet âge peut être fait d'informations et de mythomanie nourrie de contes, de télévision, de bandes dessinées et d'expérience.

Ainsi, peu à peu, l'enfant abandonne le monde merveilleux où tout était possible et où tout lui était possible.

Un soir, j'avais dit à une plante : "Fleuris." Le lendemain, c'était devenu une pivoine blanche en pleine déflagration. Pas de doute, j'avais des pouvoirs [31].

Amélie Nothomb

L'auteur évoque ainsi le sentiment qu'elle avait de sa toute-puissance. Incontestablement, les plantes, sur son ordre, s'épanouissaient à vue d'œil.

Gagnant en raison, l'enfant se voit contraint de rejoindre le monde bien réel des adultes. Également obligé d'admettre qu'il n'est pas le centre du monde, il est amené à abandonner sa royauté. La marque de celle-ci se retrouve cependant dans certains fantasmes de l'adulte. Ainsi chez le héros du roman de Adrien Goetz, *Une petite légende dorée* : « D'ordinaire, il imagine des cercles de gens à le regarder. Avec modestie, il accepte sans discuter cette vision du monde concentrique autour de sa personne [32]. » Le passage de la vision d'un monde enchanté à celle d'un monde réaliste se révèle d'ailleurs dans les dessins de l'enfant, qui, de très imaginatifs, deviennent pauvres et sté-réotypés.

Le petit enfant, en même temps qu'il se vit comme le centre de tout, se fond dans ce tout. Il est ce tout, en quelque sorte cosmique. Cela en fait souvent un grand poète. À l'époque où l'on portait le deuil, un petit garçon dont le grand-père vient de mourir interroge sa mère :

Dis maman, pourquoi bonne maman, elle est tout en noir ?

Jean-Claude, quatre ans

La mère n'ose pas dire la vérité à l'enfant, comme cela se faisait à l'époque, de peur de l'attrister. Alors Jean-Claude de dire : « Moi je sais. C'est parce qu'elle a traversé la nuit ! »

LE POURQUOI DES POURQUOI

Dès qu'il commence à parler, l'enfant pose des questions. Au début, il s'agit de questions simples. Il cherche à connaître le lieu où se trouvent les objets qu'il désire, ou la nature et le nom des choses qu'il ne connaît pas. Les « C'est où ? » ou « Qu'est-ce que c'est ? » remplacent alors les onomatopées et les gestes, tels que montrer du doigt, du temps où il ne savait pas encore parler. Puis, dès l'âge de trois ans, voire avant, apparaissent les fameux « Pourquoi... », qui se multiplient jusque vers l'âge de sept ans.

Découverte de l'univers, découverte de l'identité

Dans un premier temps, le très jeune enfant, qui cherche à attirer l'attention de l'adulte auprès duquel il se trouve, observe tout ce que fait ce dernier et l'interroge sur le moindre de ses faits et gestes : « Pourquoi tu prends ça ? » « Pourquoi tu le mets là ? » « Pourquoi tu fais ça ? » « Pourquoi tu le fais comme ça ? »... En fait, en posant ces questions, il ne semble pas que l'enfant ait pour seul but de connaître les intentions de l'adulte qu'il interroge. Son questionnement intempestif est aussi une façon de participer aux activités de cette grande personne, à laquelle il s'identifie.

Puis viennent les « vrais » pourquoi. Le sens de ces pourquoi n'est pourtant pas tout à fait le même chez le jeune enfant que chez l'adulte. Chez ce dernier, cet adverbe interrogatif renvoie soit au but (« Pourquoi prenez-vous ce chemin ? »), soit à la cause (« Pourquoi les corps tombent-ils ? »). Chez l'enfant jeune, le sens des pourquoi est à mi-chemin entre les deux. J. Piaget[33] cite l'exemple d'un garçonnet de six ans qui demande à la personne s'occupant de lui, placée en bas d'une terrasse légèrement inclinée : « Pourquoi elle roule la bille ? » Une bille se dirige en effet vers elle. « Parce que c'est en pente », répond la personne en question.

Dans cette réponse, seule est évoquée la cause du mouvement de la bille. Mais cette explication mécanique ne semble pas suffire à l'enfant, qui interroge de nouveau : « Elle sait que tu es là-bas, la bille ? » Pour lui, il y a forcément une intention dans le mouvement de la bille. Celle-ci doit être orientée vers un but. Même s'il ne va pas jusqu'à prêter à la bille une conscience humaine, pour lui, son mouvement ne peut être qu'intentionnel et dirigé.

C'est sans doute parce que l'enfant cherche ainsi à la fois le but et la cause des phénomènes qu'il perçoit que de nombreux « Pourquoi... » risquent de rester sans réponse. J. Piaget raconte qu'un jour, montrant les deux pointes du mont Salève, visible de Genève, le même garçonnet de six ans avait demandé : « Pourquoi il y a deux Salève ? » Il avait en effet remarqué qu'au-dessus de Zermatt, le mont Cervin n'avait pas deux pointes, mais une seule. Comme il ne peut y avoir de hasard dans la nature, le fait qu'il voyait deux Salève au lieu d'un avait forcément une raison. Il est difficile de répondre à une telle question !

Évidemment, l'enfant n'est à même de poser des questions suffisamment objectives que lorsqu'il est sorti, au moins en partie,
de sa période magique. En effet, tant qu'il se sent le moteur de
toute chose, il n'a pas besoin de s'interroger sur le fonctionnement de ce qui l'entoure, êtres ou choses.

Le petit magicien [...] n'avait aucun moyen d'acquérir la
connaissance des causes et des faits du monde extérieur, tant
qu'il considérait ses actions et ses pensées comme la cause
de toutes choses [34].

Selma H. Fraiberg

Cet enfant tout petit *est* la vie. Il ne peut donc réfléchir sur la
vie. Il est Dieu, en même temps qu'il est tous les éléments de
l'univers à la fois. Corollairement, les différents éléments sont
eux-mêmes animés de l'intérieur. À titre d'exemple, voici la
jeune Louise :

Louise est là. Louise veut manger. Louise veut. C'est toute
Louise qui veut, et pas seulement le petit je du bout de la
langue. Ce sont ses mains autant que ses pieds et la volonté
du vent autant que la sienne. [...] Tout est animé, tout est
esprit. Qui est dans la tasse ? Qui habite la bille ? [...] Qui
mâches-tu dans ta bouche ? La main de Louise ne se pose
que sur des êtres vivants. [...] Peu à peu, voici qu'une petite

fille nous grandit. [...] Et elle est tourterelle parmi les tourterelles, pierre parmi les pierres[35].

Eugène Savitzkaya

Le petit enfant avant deux-trois ans vit à l'intérieur des choses. Il est lui-même ces choses. En même temps, celles-ci lui appartiennent. Il en est ainsi, et il ne se pose pas de question. Le vent qui souffle, se demande-t-il pourquoi il souffle, ou la pluie, pourquoi elle tombe ? C'est probablement ce que veut dire A. Nothomb lorsqu'elle écrit :

À trois ans, on n'a pas [...] le réflexe de demander à autrui une explication : on n'est pas forcément conscient que les grands ont plus d'expérience[36].

Amélie Nothomb

En fait, encore une fois, c'est surtout parce qu'il ne se pose pas lui-même de questions que le tout petit enfant ne demande pas aux adultes de l'éclairer. Bien plus, puisqu'il n'a pas la capacité de détacher ses observations de l'observation de lui-même, il ne peut imaginer que d'autres, en l'occurrence les adultes, puissent avoir une expérience des choses du monde plus grande que la sienne. Rappelons-le, l'enfant très jeune se vit tout naturellement comme le centre du monde. Tout tourne autour de lui. « La dame de la radio, elle m'entend[37] ? »

demande un petit garçon qui parle à côté du poste de radio allumé.

Ce n'est qu'en abandonnant peu à peu son monde magique pour la réalité que l'enfant commence à se poser des questions (justement sur cette réalité) et à faire appel au savoir des plus âgés. Une autre raison à cela est que son identité se construit. Alors que, jusque-là, il était au cœur de tout, l'enfant va en effet, au cours de ses deuxième et troisième années, se distinguer de plus en plus du reste du monde. Le soi va se différencier du non-soi et le « je » apparaître. En même temps, le langage nouvellement acquis va lui permettre de formuler de mieux en mieux ses questions.

À propos de la construction de son identité, Selma H. Fraiberg rapporte la question qu'un petit garçon lui avait posée :

Est-ce qu'une souris sait qu'elle est une souris [38] ?

Roger, cinq ans

La question, évidemment, l'embarrassa. Elle demanda donc à l'enfant : « Qu'est-ce que tu crois ?

— Eh bien, comme je sais, moi, que je suis *moi*, est-ce qu'une souris sait qu'elle est une souris ?

— Dis-moi ce que tu crois.

— Eh bien, je crois qu'une souris ne sait pas qu'elle est une souris, mais je ne sais pas pourquoi je sais ça. Un chien est plus malin qu'une souris.

— Est-ce qu'un chien sait qu'il est un chien ? »
Indécis, Roger n'avait pu répondre à cette question.

S'expliquer le monde

Au fur et à mesure qu'il prend de la distance par rapport à ce qui l'entoure, l'enfant devient donc curieux de ce qui est extérieur à lui. Il s'aperçoit que beaucoup de choses lui sont incompréhensibles, et il est poussé par un besoin de savoir insatiable. C'est alors qu'il a recours aux grandes personnes qui, à ses yeux, disposent d'un savoir universel. Elles sont toutes-puissantes et ont une expérience de tout. Cela jusqu'à ce que l'enfant découvre que, justement, les adultes ne savent pas tout. La désillusion est alors grande. Pour lui, d'une certaine façon, c'est la fin de l'enfance.

Françoise Dolto raconte comment, entre quatre et six ans, elle a découvert que les grandes personnes ne savent pas tout [39]. À l'occasion d'une promenade avec son institutrice, elle avait demandé avec insistance ce qu'il y a après la mort. L'institutrice, embarrassée, avait finalement répondu qu'après la mort le corps est enterré et que l'âme va au ciel.

« Au ciel, au ciel, c'est quoi, comment c'est ?

— Bien, on dit que... »

— Enfin, vous ne savez pas ?

[...]

— Non, je ne sais pas. On le croit, mais personne ne sait. »

C'est ainsi que la fillette s'était aperçue avec stupéfaction que les grandes personnes vivent « dans l'ignorance de ce qui est le plus important... Il y avait une limite au savoir, au savoir des grandes personnes ». « À partir de ce moment-là, certainement, quelque chose a changé dans mes rapports aux grandes personnes », écrit Françoise Dolto en conclusion de cette anecdote.

À compter du moment où l'enfant découvre l'ignorance des adultes à propos d'un certain nombre de questions importantes, il cherche par lui-même. De ce point de vue, l'école joue un rôle de premier plan, que les grandes personnes oublient souvent. Les enfants sont avides de connaissances, et tout ce que le maître dit est parole d'Évangile. Grâce à la lecture aussi, l'enfant découvre un univers extraordinaire. Et puisqu'il est par nature curieux, il continue à poser des questions.

Au fur et à mesure qu'il apprend, les savoirs nouveaux se mêlent aux fantaisies anciennes, formant un curieux mélange de faits qu'il a appris et de théories auxquelles il est parvenu tout seul. « Plus de guerre entre le vrai et l'inventé, entre ce que j'attends du monde et ce que j'apprends de lui. Le vrai et l'inventé sont devenus amis », écrit Irène Frain, décrivant ce que l'apprentissage de la lecture lui a apporté [40]. De fait, l'enfant, découvrant qu'il ignore tout de ce qui l'environne, a besoin de se construire un système explicatif du monde.

À trois ans, [...] on observe des phénomènes inédits, opaques. On ne possède aucune clé. Il faut inventer des lois à partir de ses seules observations [41].

Amélie Nothomb

Certaines histoires fantastiques, comme celle de Harry Potter, répondent à ce besoin très fort de l'enfant de réunir la totalité des objets de sa culture dans un système explicatif cohérent. Harry est un « héros engagé dans un parcours symbolique de découverte de ses propres origines[42] ». C'est ce qui explique le succès de ce type de « conte » auprès des jeunes. Ceux-ci sont en effet à la recherche d'une cohérence et d'une maîtrise de leur monde intérieur, puis du monde extérieur. Au demeurant, tous les grands mythes ont pour fonction de concilier rationnellement les grandes oppositions (nature/culture, masculin/féminin, succession des générations, par exemple) et de répondre aux énigmes de la vie et de la mort.

Il est de fait embarrassant de ne pas savoir. Les grandes personnes, qui préfèrent ce qui ne les embarrasse pas, font semblant de savoir, ou elles oublient qu'elles ne savent pas en s'absorbant dans une multitude d'occupations quotidiennes. Le jeune enfant ne peut en rester là. Il a besoin de savoir et insiste. Il ne faut pas oublier qu'il n'y a pas si longtemps il était dans l'informe, et que cet informe tout proche lui fait inconsciemment peur.

Pourquoi certains enfants posent-ils plus de questions que d'autres ? Il est sûr qu'il y a des enfants plus curieux que d'autres. Certains ont aussi une forme d'intelligence qui les pousse à rechercher une explication à tout ce qui les étonne. Or tout les étonne. D'autres préfèrent chercher eux-mêmes la clé des énigmes ; d'autres encore sont moins extravertis, ou n'osent pas afficher leur ignorance ni montrer leur curiosité. Il faut dire que certains environnements favorisent le questionnement. Ainsi en est-il des milieux où l'on réfléchit et où l'on discute beaucoup entre adultes et avec les enfants.

Par ailleurs, de nombreuses questions découlent de la logique implacable de l'enfant. Les parents en font souvent l'expérience. L'enfant, fin observateur et toujours en quête de références, ne laisse rien passer dans leur comportement et leur discours. Son regard est perçant, et les adultes n'ont qu'à bien se tenir.

Quand maman est fatiguée, pourquoi est-ce que c'est moi qui dois aller au lit ?

Élise, cinq ans

Pourquoi tu vas pas voter ?

Luc, sept ans

Luc cherche tout simplement une explication (et non une justification) au comportement de son père, comportement qui le surprend. Il a en effet entendu dire que tout le monde allait voter ce jour-là.

Encore une marque de la logique tout à fait rationnelle du jeune enfant, cette réponse du jeune François, à qui sa mère vient de demander d'aller se laver les mains avant d'aller faire ses exercices au piano : « Mais, maman, ça n'est pas la peine. Je vais jouer sur les touches noires ! » Même si l'équivalence entre le noir des touches du piano et le noir des mains est douteuse, l'enfant fait astucieusement intervenir un raisonnement rigoureux qui le sert.

Le jeune enfant est cependant particulièrement sensible aux situations incongrues, tout du moins incongrues pour lui. Ainsi une fillette, à la fin d'un jeu des quatre coins avec ses sœurs et son grand-père, s'exclame-t-elle, à l'adresse de ce dernier :

Grand-papa, je vois qu'on peut être vieux et courir vite !

Alma, cinq ans

La logique, pour l'enfant, voudrait en effet que, lorsqu'une personne vieillit, elle ralentît son rythme. Or la fillette vient de s'apercevoir qu'il n'en est rien, et elle dit son étonnement. Un garçon un peu plus âgé a une réflexion de type plus abstrait en s'écriant :

Alors, finalement, la vieillesse ce n'est pas un défaut !

Arnaud, huit ans

Un besoin d'attention

Parfois, que l'enfant en soit conscient ou non, ses interventions sont provocantes. Sans doute cherche-t-il à attirer l'attention de l'adulte qui ne s'occupe pas de lui comme il le souhaiterait ? Colette rapporte une scène observée un jour d'été en baie de Somme, qui peut illustrer cette façon de faire[43]. Une mère de famille, assise sur la plage sous une ombrelle et plongée dans un roman mystérieux, « oublie délicieusement ses deux gosses ». « Son gros petit garçon, patient et têtu, attend, la pelle aux doigts [...] : Maman, dis donc maman !... » Finalement, la mère lève les yeux de son livre :

« Quoi ?

— Maman, Jeannine est noyée.

— Qu'est-ce que tu dis ?

— Jeannine est noyée, répète le bon gros petit garçon têtu. [Jeannine est la sœur du gros petit garçon.] »

La mère se lève, affolée, lorsqu'elle aperçoit la « noyée » au fond d'un creux de sable où elle joue. Elle s'écrie :

« Jojo ! Tu n'as pas honte d'inventer des histoires pareilles pour m'empêcher de lire ?

[...]

— Mais c'est pas pour te quaquiner, maman ! Jeannine était plus là, alors je croyais qu'elle était noyée.

— Seigneur ! Il le croyait ! ! ! Et c'est tout ce que ça te faisait ? »

Il n'est pas sûr, d'après nous, que Jojo soit intervenu auprès de sa mère d'une façon totalement innocente. Il n'est pas sûr non plus que l'idée de sa sœur noyée lui ait vraiment déplu ! Ce qui est sûr en revanche, c'est que les enfants, même très jeunes, sont sensibles à l'humour attaché à l'incongruité de certaines situations.

On peut trouver des réactions d'humour chez des enfants de moins de trois ans. Une grande personne interroge un petit garçon de deux ans et demi : « Tu as mis tes chaussures sous le sapin de Noël ? – Oui, répond l'enfant. – Et celles de papa ? – Oui. – De maman ? – Oui. – De Jaffa ? [c'est le nom de la chienne] » Éclat de rire immédiat de l'enfant, qui s'esclaffe : « Tu me fais rire[44] ! »

Par ailleurs, quand un enfant pose une question qui concerne d'autres que lui, un animal par exemple, il est fréquent que celle-ci se rapporte à lui. C'est presque toujours à lui-même que l'enfant nous renvoie quand il pose une question. Il ne le fait pas sciemment. Mais comme il s'identifie volontiers à ce qui l'entoure, il cherche à se connaître en voulant connaître les réactions des autres. C'est aussi parce qu'il se voit à la place des êtres qui lui ressemblent d'une façon ou d'une autre.

Souvent ces autres sont des animaux : le jeune enfant se sent proche de ces êtres vivants, car ils l'intimident moins que les humains. Il lui arrive aussi de se projeter dans leur univers.

Y s'ennuie mon poisson rouge dans son bocal ?

Yvan, cinq ans

Le petit garçon pense sans doute qu'il s'ennuierait s'il était enfermé quelque part tout seul. Ou peut-être s'ennuie-t-il au moment où il pose sa question ?

Elle s'ennuie toute seule, la Lune ?

Line, quatre ans

Bien entendu, ce type de question appelle une réponse rassurante. L'enfant a besoin de s'entendre dire qu'on ne le laissera jamais seul, qu'il aura toujours quelqu'un pour s'occuper de lui.

En fait, les questions des enfants sont souvent l'expression d'une quête affective. Si l'adulte à l'écoute est attentif à ses questions, il montre déjà son intérêt pour ce qui préoccupe l'enfant, ainsi que sa tendresse pour lui. Ces marques d'attention sont peut-être plus importantes que la réponse elle-même. Les demandes de l'enfant sont en quelque sorte des tentatives de rapprochement. Il recherche avant tout l'intimité créée dans un dialogue à deux, et ce, surtout dans certaines circonstances : le soir au coucher, par exemple, moment où les jeunes enfants posent souvent des questions qui peuvent paraître graves, sur la mort ou sur leurs peurs.

La demande en soi est en tout cas importante. « Je voudrais deux sous de pruneaux et deux sous de noisettes », demande le sage Léo, jeune frère de Colette [45]. « Les épiceries sont fermées, répondit ma mère. Dors, tu en auras demain. » L'enfant, le lendemain soir, renouvelle sa demande, ainsi que les soirs suivants, jusqu'au jour où sa mère, impatientée, lui dit : « Les voici. [...] Quand il n'y en aura plus, tu en achèteras d'autres. » L'enfant la regarde alors, « offensé et pâle », avant de fondre en larmes. « Tu ne les aimes pas ? Qu'est-ce que tu voulais donc ? » lui demande sa mère. « Il fut imprudent et avoua : "Je voulais les demander." »

De jeunes enfants posent parfois répétitivement la même question, comme dans une litanie, ce qui peut agacer leurs interlocuteurs adultes. Peut-être ne sont-ils pas satisfaits de la réponse qui leur a été donnée ? Peut-être aussi la répétition de la question constitue-t-elle pour eux une sorte de bercement ? Ce serait une façon de se relier à l'adulte en créant une sorte de dépendance dans laquelle ils se complaisent. Seule alors, la réponse « parce que c'est comme ça » peut venir mettre fin à cette sorte de jeu. L'enfant semble d'ailleurs bien accepter ce type de réponse, qui le tranquillise.

Quelquefois, je tombe sur des mots déroutants [...]. Je demande le sens. On me le donne. J'écoute la réponse avec détachement. J'avais déjà compris sans comprendre. La question, je l'avais posée par réflexe, comme par distraction [46].

Irène Frain

Il est vrai que les enfants posent souvent des questions pour le plaisir de poser des questions – besoin d'être écouté, besoin de rapprochement. « Tous les autres m'entendent, et toi tu m'écoutes. Les autres m'entourent, et toi tu m'attends », chante Georges Moustaki à l'adresse de son grand-père, la seule personne, sans doute, qui l'a écouté quand il était enfant.

À l'opposé, on pourrait se demander pourquoi les enfants ne posent pas plus de questions. Dans les propos qu'ils entendent à la radio, à la télévision ou dans les livres, nombreux sont en effet les mots, les expressions ou les situations qu'ils ne comprennent pas. Pourtant, ils ne demandent pas toujours des explications. Ils devinent le sens général. Et puis, ils aiment rester dans le flou. Ce flou protège leur monde privé fait de réel, de merveilleux et de magique mêlés. Alors peut-être est-il inutile de leur demander, quand on leur lit un conte, notamment, s'ils connaissent tel ou tel mot ? S'ils veulent vraiment savoir, les enfants posent des questions, quitte à sortir de leur monde. « Nos petits voleurs (Ils ont goûté à l'arbre de la Connaissance.) avaient si faim de connaissance qu'ils finirent par s'exclure eux-mêmes de ce paradis », écrit Jostein Gaarder à propos des enfants qui grandissent et passent du monde de l'enfance à celui de l'âge adulte [47].

Grâce à ce flou, qui préserve êtres et choses d'un sens trop exact, trivial même, la vision du monde qu'a l'enfant peut être très poétique, beaucoup plus poétique que la réalité. Et même si l'adulte qu'est devenu l'enfant sait désormais que ce ne sont que des images, certaines persisteront tout au long de la vie. Ainsi en est-il pour Jean de sa vision du « Chemin des Dames ». Quand, enfant, il écoutait son grand-père, vétéran de la guerre de 1914-1918, narrer à son auditoire captivé des épisodes relatifs à ce lieu, il voyait un endroit de rêve et de belles dames – ombrelles, cabriolets, robes élégantes – se promenant lentement dans un chemin ombragé...

Quant à Sylvie, lorsqu'elle était enfant, pendant la Seconde Guerre mondiale, et qu'elle entendait parler de « marché noir », elle imaginait un marché couvert étrange : tout y était peint en noir. Elle ne se doutait pas à l'époque qu'il s'agissait de transactions clandestines. Maintenant qu'elle est adulte et qu'elle connaît le vrai sens de cette expression, Sylvie ne peut s'empêcher, lorsque « marché noir » apparaît dans une conversation, d'en avoir la même vision que lorsqu'elle était enfant. Elle en est tout émue.

COMMENT RÉPONDRE

5

LES QUESTIONS

Les jeunes enfants sont proches du merveilleux (voir « Le merveilleux et le magique », p. 201). Toutefois, en même temps, ils ne peuvent s'extraire du concret. Ils croient au mystérieux et au magique, mais ne peuvent appliquer leur pensée qu'à des choses concrètes ou à des images. Le personnage du père Noël est une illustration de cette double tendance : bonhomme bien matériel, il concrétise l'idée abstraite de mystère et de bonté gratuite.

Jeanne, cinq ans, vient de voir avec sa grand-mère un dessin animé sur la guerre. Les personnages en sont de petits lapins. L'enfant demande à sa grand-mère : « La guerre, c'est fini maintenant ? – Oui », répond celle-ci, qui ajoute : « Mais, tu sais, quand j'étais moi-même petite, il y avait la guerre ! – Mais il n'y avait pas de lapins ! », rétorque l'enfant avec assurance, voulant sans doute dire que, sans lapins, il ne peut pas y avoir eu véritablement de guerre au temps où sa grand-mère était enfant.

Jeanne, à cinq ans, peut encore croire à l'histoire des petits lapins comme à une histoire humaine réelle. Elle est hors du réel, mais cela ne la gêne pas. En même temps, pour elle, le mot « guerre » renvoie à la seule guerre qu'elle connaisse, celle qu'elle vient de voir dans le dessin animé. La guerre ne peut donc exister qu'accompagnée des éléments matériels qui ont fait partie de sa présentation initiale, notamment les petits lapins. La guerre n'est pas encore un concept général, mais un événement particulier.

Les grandes personnes savent tout

C'est avec cette façon de penser que les enfants essaient de se faire une idée de l'univers, dont ils ne doutent pas qu'il réponde à des règles logiques bien établies. Ils savent confusément qu'en tant qu'enfants ils ont des possibilités de connaissance limitées. En revanche, ils sont sûrs que les grandes personnes sont capables d'expliquer ces règles dans leur totalité.

L'enfance est une métaphysique, la conviction qu'il y a un ordre, un sens, une bienveillance au-dessus de nos têtes, ces grandes personnes admirées et redoutées qui détiennent tant de secrets. L'univers apparaît mystérieux davantage qu'absurde. Peut-être est-il immense, profond, ignoré, ténébreux, cependant ni vide ni instable... S'il m'échappe en partie, [...] j'ai néanmoins la possibilité de l'explorer ou de consulter un père, un professeur, un maître [...] plein de savoir et de sagesse[1].

Éric-Emmanuel Schmitt

Éric-Emmanuel Schmitt décrit bien ce qu'est l'esprit d'enfance, un état d'être entièrement fondé sur la confiance. Pour les jeunes enfants, en effet, les adultes savent tout et ne se trompent jamais.

Il y a une période où, tout petits, les enfants posent presque systématiquement des questions sur tout et n'importe quoi. Ces questions n'en sont pas vraiment. Mais ensuite, à l'âge des vraies questions, quand ils interrogent les grandes personnes, les enfants se sont en général déjà interrogés eux-mêmes. Ils ont déjà essayé d'élaborer une réponse, et ils cherchent simplement auprès de l'adulte la confirmation de la solution trouvée. La façon dont les jeunes enfants posent leurs questions donne donc des indications sur cette solution. Ainsi, pour savoir où ils en sont de leur façon d'appréhender le monde et pour leur donner une réponse intelligible, il est important d'être attentif à la manière dont sont énoncées les questions.

Jean Piaget cite Fran, deux ans et demi, qui demande : « Qui a fait le Soleil ? » ; puis la question d'un enfant de trois ans et demi : « Qu'est-ce qui fait briller le Soleil ? » ; et encore celle d'un enfant de cinq ans : « Qui est-ce qui fait briller les étoiles [2] ? », pour montrer que les enfants ne prêtent pas encore aux choses une activité autonome. Ces enfants considèrent en effet implicitement les astres comme le produit de la fabrication humaine. Il s'agit d'un stade normal du développement intellectuel de l'enfant. Mais il est utile de tenir compte de cette particularité pour bien comprendre le sens des questions des tout-petits et mieux adapter les explications qu'on leur donne.

Par ailleurs, certaines manières de poser les questions sont propres à certaines tranches d'âges. Elles ne sont pas toujours à prendre à la lettre. Ainsi en est-il chez les enfants à partir de six-sept ans avec l'expression « avoir le droit de », qu'ils utilisent à tout bout de champ pour exprimer ce qui peut apparaître soit comme une revendication – « J'ai bien le droit de... » –, soit comme une demande de permission – « Est-ce que j'ai le droit de... ? » En fait, cette formule n'a apparemment rien à voir avec le droit. Il semble plutôt qu'elle se réfère à l'ordre des choses dont il était question plus haut, et qui fait que chaque chose, chaque être, doit être à sa place :

Les bateaux flottent parce qu'ils le doivent et la lune éclaire seulement la nuit parce que ce n'est pas elle qui commande[3].

Jean Piaget

Les lois naturelles sont confondues avec les lois morales. Ainsi, « J'ai le droit de » signifie : « Il me revient, étant donné mon âge, ma place dans la fratrie, etc., de faire ou d'avoir telle ou telle chose. »

Les sujets douloureux pour les parents

Malgré les apparences, il n'y a la plupart du temps aucune intention de juger dans les questions des jeunes enfants. Celles qui semblent comporter une critique ne sont en général que des interrogations à propos de situations ou de comportements qui étonnent l'enfant et qu'il cherche à comprendre. En fait, les adultes se croient critiqués lorsque les questions concernent des points sensibles de leur propre vie. Les enfants, quant à eux, peuvent ressentir le malaise ou la souffrance d'un parent ; ils peuvent avoir de la peine, mais ils ne jugent pas. Ils n'ont pas pitié. Ils constatent les faits et se renseignent : « Pourquoi, papa, tu vas pas au travail ? » « Pourquoi, nous, on n'a pas de voiture ? » « Pourquoi papa, il est parti ? » « Pourquoi on change de maison ? »

Quand les questions ont ainsi trait à des sujets qui touchent particulièrement l'adulte à qui elles s'adressent (chômage, manque d'argent, déménagement dû à une séparation, etc.), il suffit, si on parvient à le faire, d'expliquer brièvement et le plus objectivement possible la situation à l'enfant, sans oublier de terminer sur une note d'espoir, par exemple : « Mais, bientôt, les choses iront mieux. » « Nous trouverons bien le moyen de régler ce problème. » « Tu verras, tu t'habitueras à ces changements. »

Sans cacher la vérité à l'enfant, il est bon de lui montrer que, dans toutes les situations, même les pires, il y a toujours une issue ou un côté positif. Les jeunes enfants n'ont pas les moyens de prendre de la distance par rapport aux événements ni de les relativiser. Ils se sentent immédiatement concernés, si bien qu'une mauvaise nouvelle peut prendre chez eux des proportions importantes et se transformer en catastrophe. Ils sont alors gagnés par une angoisse d'autant plus douloureuse qu'ils n'osent pas en évoquer la cause ouvertement. Celle-ci leur apparaît comme un sujet bien trop dangereux.

Si le sujet est trop douloureux et que l'adulte ne parvient pas à répondre, ou ne connaît pas la réponse, il est important qu'il le dise simplement à l'enfant, et qu'il lui explique pourquoi il ne peut répondre. Voici quelques exemples : « Parler de cela me rappellerait des souvenirs ou des faits auxquels je n'aime pas penser : ils me rendent triste ou malheureux. Je préfère donc ne pas t'en parler maintenant. Mais, peut-être, plus tard, ce sera plus facile pour moi, et je répondrai à ta question. » « Je ne connais pas la réponse à ta question. Je vais y réfléchir ou me renseigner, et, lorsque j'aurai une réponse, je te la donnerai. » L'important est que l'enfant voie que son droit de savoir est reconnu. Il pourra ensuite très bien comprendre qu'une grande personne souffre trop pour pouvoir répondre et préfère attendre. À ce propos, il vaut mieux éviter de répondre à un enfant quand on est « ébranlé », car on risque de projeter sur lui sa propre souffrance.

Il arrive par ailleurs que des adultes se demandent pourquoi les jeunes enfants posent leurs questions les plus confidentielles à certains moments plutôt qu'à d'autres – en général lorsqu'ils s'y attendent le moins, quand ils sont occupés à tout autre chose ou que la conversation porte sur un sujet complètement différent. C'est le plus souvent quand l'enfant se trouve seul avec un adulte proche de lui affectivement, mais pas trop proche non plus. En effet, les enfants craignent de faire de la peine ou d'irriter un parent qu'ils aiment tendrement. Ils sentent intuitivement que certaines de leurs questions pourraient l'embarrasser ou nuire à leur intimité. Ainsi, plutôt qu'à l'un des deux parents, les questions les plus sérieuses sont souvent adressées à un grand-parent, à une grande sœur ou un grand frère, à une tante, à une très bonne amie de la famille ou à une maîtresse. Il faut en tout cas que l'enfant se sente en confiance, qu'il soit sûr qu'on ne se moquera pas de lui et qu'on le prendra au sérieux.

Le dialogue à deux crée une certaine intimité. C'est aussi ce qu'apprécie l'enfant. Cela se passe notamment le soir, au moment du coucher, quand l'enfant pose au parent qui s'occupe de lui des questions sur la mort notamment. Cet enfant a l'intuition que sa mère – il s'agit plus fréquemment d'elle que du père – sera émue. Elle se demande d'une part comment un être si jeune peut avoir de telles pensées, d'autre part quel pressentiment il a eu pour être amené à lui parler de la mort. L'émotion ainsi provoquée créera finalement un moment de communion qui sera doux au cœur de l'enfant, parce qu'il aura été l'occasion d'un rapprochement.

Les questions dérangeantes

Dans tout dialogue avec l'enfant, la personnalité de l'interlocuteur est importante, mais la façon dont celui-ci reçoit les questions de l'enfant l'est également. L'adulte doit être attentif et respectueux de l'enfant. Il doit répondre sincèrement à ses questions. Cependant, certaines d'entre elles sont déstabilisantes. Nous venons d'évoquer les questions qui touchent à des sujets sensibles pour l'adulte interrogé. Mais il y a aussi des questions qui sont dérangeantes pour la plupart des parents. Il s'agit essentiellement des interrogations sur la sexualité et sur la mort.

Même s'ils pensent que les questions de l'enfant sur la sexualité sont légitimes, les adultes sont mis à rude épreuve lorsqu'elles leur sont posées. « Dis, papa, c'est quoi cette bouteille de lait ? » interroge un enfant dans une publicité vue à la télévision. Le père est plongé dans la lecture du journal. Il reste sourd à la question. L'enfant se fait de plus en plus pressant. Il répète plusieurs fois sa question jusqu'à ce que, finalement, il s'arrête et lance, tout à trac : « Dis, papa, comment on fait les bébés ? » À cet instant, le père bondit et s'empare de la bouteille de lait. Il en indique immédiatement la provenance, faisant semblant de ne pas avoir entendu la seconde question. Cette publicité pleine d'humour montre bien l'embarras dans lequel les questions sur la sexualité mettent les parents. Elle montre aussi comment, sous une question en apparence anodine, peut se cacher une interrogation sur un sujet plus délicat et plus profond. Si les grandes personnes ont du mal à aborder ces questions, c'est qu'elles éprouvent des difficultés pour mettre des mots sur des choses qui touchent à ce qu'il y a de plus intime. Et cela plus encore lorsqu'il s'agit d'en parler avec leur propre enfant.

En ce qui concerne les questions sur la mort, nous avons déjà évoqué la curiosité naturelle de l'enfant dans ce domaine. Le jeune enfant n'est pas effrayé par la mort et par sa matérialité. Il cherche d'autant plus à en percer le mystère que ce sujet est encore tabou dans notre société. Certaines questions peuvent faire sursauter l'adulte et même le choquer. Il ne se les serait certainement pas posées lui-même. Lorsqu'un enfant demande, par exemple, comment les os deviennent de la poussière ou quel genre de bêtes mangent la peau, comment en effet ne pas avoir un mouvement de recul ? Les adultes essaient de ne pas trop penser à ces choses, non plus qu'à leur fin dernière, ou à celle des êtres aimés. Les questions sur la mort sont déjà difficiles à entendre. Les réponses seront difficiles à élaborer, puis à énoncer.

Questionner pour questionner

Les enfants ont grand besoin qu'on entende leurs questions. Ils ont besoin qu'on leur réponde, bien sûr, mais surtout qu'on les écoute. En fait, ce qui compte n'est pas tant la réponse que la question. Il est important d'une part que l'enfant ait pu se la poser et la poser, d'autre part qu'elle soit parvenue aux oreilles d'une grande personne. La question est l'aboutissement d'une réflexion à partir de choses vues et/ou entendues. Entendre une question, pour l'adulte, signifie être attentif à ce qui inquiète l'enfant ou occupe son esprit dans le moment présent. Poser des questions, pour l'enfant, est un peu comme sonder la réalité en procédant par essais et erreurs. Il ne s'agit pas d'une tactique de sa part, mais d'une démarche naturelle, en grande partie involontaire.

En général, avant six-sept ans, l'enfant ne pose pas vraiment des questions pour trouver une explication à ce qui le tracasse.

Il lui arrive en effet de ne pas attendre la réponse, comme si cela ne l'intéressait pas. Ou il écoute cette réponse si distraitement qu'il semble l'oublier aussitôt. Si quelqu'un lui demande de la répéter, il en est incapable. Pourtant, il avait besoin de poser la question. Il la répète même parfois inlassablement, alors qu'un adulte lui a déjà répondu. À cela, il y a sans doute différentes raisons, dont le désir d'attirer l'attention de l'adulte. Mais il semble surtout qu'à cette période de la vie, la question ait plutôt pour fonction de ponctuer un raisonnement, de servir de jalon à une pensée en progression.

Quand l'enfant pose une question, l'adulte est là pour l'aider à aller plus loin dans sa réflexion. Plutôt que de s'esclaffer, de s'extasier ou de sourire à l'écoute d'une interrogation qui peut paraître naïve ou « mignonne », l'adulte doit saisir cette occasion pour approfondir et mettre au jour l'intention de l'enfant. Un questionnement de l'enfant joint à une écoute attentive de l'adulte peut fournir de précieux éclaircissements sur des difficultés ignorées ou des interprétations inattendues. Cette attitude est particulièrement indiquée chez les enseignants qui cherchent à savoir comment leur enseignement est reçu.

Inviter l'enfant à poursuivre et à approfondir son questionnement, c'est l'encourager dans ses efforts pour comprendre le monde qui l'entoure, c'est stimuler sa curiosité. On peut alors, au lieu de répondre immédiatement à ses questions, lui demander quelles seraient ses réponses à lui, puis discuter avec lui de ses réponses. Si, en revanche, l'adulte répond sans attendre aux questions de l'enfant – parce qu'il est pressé, fatigué ou énervé –, l'enfant se taira. C'est un peu comme s'il n'avait pas été écouté ou comme si on lui disait (on le lui dit même parfois) : « Peu m'importe ce à quoi tu t'intéresses. Maintenant, je t'ai répondu. Laisse-moi tranquille. J'ai mieux à faire ! » Voilà sans doute aussi pourquoi certaines questions sont répétées indéfiniment.

LES RÉPONSES

Conserver une part de mystère

En discutant avec les enfants, les adultes peuvent apprendre beaucoup sur ces derniers et sur leur façon de raisonner et de voir le monde, mais aussi sur eux-mêmes et sur les grandes questions un peu oubliées de la vie. Il est cependant important que, tout en se mettant à la place de l'enfant, ils sachent qu'ils ne sont plus dans la même situation. L'enfant, en effet, ne sait pas qu'il raisonne et voit le monde comme un enfant. Il ignore son enfance. L'adulte a perdu cette naïveté. Même s'il essaie de se mettre à la place de l'enfant, il ne pourra que raisonner comme un adulte. Et c'est cela qu'attend l'enfant.

Par ailleurs, si les adultes doivent être attentifs à ne pas répondre trop vite aux questions de l'enfant, ils doivent aussi veiller à laisser aux choses leur part de mystère. L'enfant jeune vit en partie dans le mystérieux et le magique. Il en est imprégné. C'est pourquoi il ne croirait qu'à moitié les explications raisonnables qui lui seraient données et n'abandonnerait pas pour autant ses croyances. George Sand raconte combien un phénomène dont elle a ensuite connu le nom, les « orblutes », l'émerveillait, enfant[4]. À force de fixer, au grand soleil, le globe doré surmonté d'une croix de l'église voisine, elle voyait, même les yeux fermés, des petites boules rouges et bleues. Ces boules brillantes finissaient au bout d'un moment par reproduire – sorte de mirage – la forme de la croix et du globe.

Si un adulte avait expliqué à l'enfant le phénomène d'optique dont elle était le jouet, il est probable qu'elle aurait eu du mal à le comprendre. Mais surtout, encore plongée dans sa période magique, elle serait restée sceptique. Elle aurait cru plus volontiers ce qu'elle voyait qu'une explication théorique, le concret et le vécu primant le théorique. La fillette n'avait d'ailleurs à aucun moment pensé à interroger son entourage sur le pourquoi de ces visions qui la ravissaient. Elles existaient, et cela lui suffisait.

Une question peut cependant se poser face à la perception personnelle que l'enfant a des choses. Faut-il entrer, ou plutôt faire semblant d'entrer, dans ses systèmes explicatifs du monde, lorsque ceux-ci relèvent plus de l'imaginaire que du réel ? « Maman, les p'tits bateaux qui vont sur l'eau ont-ils des jambes ? » demande l'enfant de la chanson. « Mais oui, mon gros bêta. S'ils n'en avaient pas, ils ne marcheraient pas » répond la mère, qui reprend ainsi à son compte le raisonnement essentiellement centré sur lui de l'enfant. Quand il avance, c'est en marchant. Alors, pourquoi n'en serait-il pas de même pour le navire ?

Certes, il s'agit là d'une chanson populaire. Mais il est vrai aussi que certaines grandes personnes préfèrent laisser le plus longtemps possible à l'enfant une vision des choses qu'elles estiment poétique. Peut-être n'ont-elles pas tout à fait raison dans la mesure où l'enfant attend des adultes qu'ils le guident vers la réalité. En outre, si, comme dans la chanson, il pose une question, c'est peut-être parce que, malgré tout, il a un doute. L'ouvrir sur la réalité, même si la réponse risque d'entraîner une déception, ne peut que renforcer sa confiance dans les adultes.

Vérifications

Quand on donne à l'enfant des informations objectives, et qu'il est possible de vérifier ensuite ce qu'il a compris, on s'aperçoit parfois qu'il n'a pas abandonné ses théories personnelles, quelle que soit leur peu de compatibilité avec la réalité. Il leur a simplement ajouté les informations nouvelles, ce qui donne un curieux mélange de réalité et de fantaisie. Selma H. Fraiberg cite le cas du jeune Mike, quatre ans, qui avait reçu des informations sur la sexualité et, d'après ses parents, « savait tout » : « Il pouvait réciter par cœur l'histoire du bébé, depuis "le spermatozoïde rencontre l'ovule", jusqu'à "le bébé sort par un passage spécial". »

Toutefois, lorsque l'auteur interrogea l'enfant, elle s'aperçut que, pour lui, le « spermatozoïde rencontrait l'ovule dans l'estomac de la mère, après avoir mystérieusement trouvé son chemin par [sa] bouche », et que le « passage spécial » n'était pas si spécial que cela. Mike n'était pas sûr que ce fût l'« endroit d'où venait le pipi, ou celui d'où venait le caca ». Il proposa même sa propre idée des choses : « Sais-tu que certains œufs de la mère ne deviennent jamais des bébés, parce que le papa les mange[5] ? »

Parfois, lorsque l'information nouvelle se trouve difficilement intégrable dans les théories personnelles déjà élaborées, il arrive que les enfants n'acceptent pas la réponse qui leur est donnée. Et cela même s'ils l'attendaient avec intérêt. Ainsi en est-il des réponses aux questions sur les origines. Nous l'avons vu, certains enfants demandent d'où ils viennent et où ils étaient avant de naître. Il est des enfants qui, malgré les explications qu'on leur a données, récusent carrément les faits :

J'étais bien quelque part avant de naître !

Christine, cinq ans

D'autres oublient aussitôt ce qu'ils viennent d'apprendre. C'est une façon inconsciente et involontaire de nier l'information reçue quand celle-ci n'est pas concevable.

Une fois une réponse donnée, il est toujours intéressant de vérifier ce que l'enfant en a compris. En effet, les informations reçues peuvent être interprétées d'une façon très personnelle. Certains comportements, certaines peurs ou remarques de l'enfant – qui sont le signe d'une mauvaise compréhension – surprennent l'adulte, qui est ainsi amené à l'interroger. Une mère avait par exemple expliqué à son enfant l'« histoire des graines » dans le ventre de la maman. À partir de ce moment, l'enfant avait systématiquement refusé de manger tous les fruits et légumes porteurs de graines : tomates, fraises, etc. Interrogé, il avait expliqué que, s'il en mangeait, « une grande plante allait pousser dans son corps[6] ».

Cet enfant avait tout simplement étendu à toutes les graines la capacité qu'avait « la » petite graine de pousser dans un ventre de maman. Dans des cas semblables, il ne faut pas hésiter à expliquer encore et encore, à chaque fois que l'enfant fait un pas de plus dans sa compréhension de la question. L'information met du temps à faire son chemin. Elle progresse par paliers. Il sera ainsi loisible, à chaque étape, de voir où en est l'enfant et d'ajuster les explications. Rien ne sert de brusquer les choses. Les tunnels débouchent toujours sur la lumière.

Souvent, l'adulte ne s'aperçoit pas que l'enfant n'a pas compris, ou qu'il a compris de travers. Irène Frain raconte que, alors qu'elle insistait pour savoir où elle était avant de naître, sa mère lui avait répondu : « Avant, tu était au ciel. » « Je ne me rappelle pas le ciel, écrit-elle, ni ce que j'y ai fait. » Elle avait encore insisté, et on lui avait répondu : « C'est normal. Personne ne s'en souvient. [...] C'est comme ça. Le ciel, on s'en souvient pas. » « Je sors au jardin, écrit-elle encore, je regarde au-dessus de moi. [...] Bleu, vide, sans fond[7]. » La fillette avait pris les paroles de sa mère au pied de la lettre. Le ciel était en effet pour elle un lieu concret, et non un symbole. Et quand une grande personne, qui plus est sa mère, lui disait qu'elle y avait séjourné, elle la croyait sans hésiter.

Le jeune Jules, lui, entend que, dans sa famille, on nomme sa grand-tante Agnès la « Béate ». « "M'man, qu'est ce que ça veut dire, une béate ?", interroge l'enfant. Sa mère cherche une définition et n'en trouve pas ; elle parle de consécration à la Vierge, de vœux d'innocence. "L'innocence. Ma grand-tante Agnès représente l'innocence ? C'est fait comme cela, l'innocence !" » se dit à lui-même l'enfant[8]. Il faut dire que, dans ces deux cas, la grande personne interrogée s'était trouvée très embarrassée par la question de l'enfant. Elle avait répondu un peu comme pour s'en débarrasser. Irène Frain l'a d'ailleurs remarqué :

> Ma mère [...], quand elle m'a parlé du ciel, n'avait pas l'air dans son assiette. Elle a eu l'air gênée, elle s'est mise à parler très vite[9].
>
> Irène Frain

Les enfants ne veulent pas tout savoir, du moins pas tout de suite

Même s'ils cherchent à répondre le plus complètement possible aux questions des enfants, les adultes doivent tenir compte du fait que, contrairement à ce que pensent la plupart d'entre eux, les enfants ne veulent pas toujours tout savoir. Certes, il n'est pas souhaitable de leur cacher la vérité, même quand elle est difficile à recevoir. Cependant, il est inutile, voire préjudiciable, de s'étendre et de donner trop de précisions. Il est ainsi préférable d'éviter de confier à l'enfant ses inquiétudes et ses angoisses d'adulte. À l'enfant qui pose des questions sur la mort, par exemple, il est déconseillé d'expliquer, comme cela a pu être fait : « Je ne pense pas que je pourrai te rassurer, car je trouve comme toi qu'il n'y a rien de plus angoissant que la mort. »

L'enfant sait que la mort existe, et il en est curieux, comme de toutes choses. Son regard reste néanmoins objectif. En outre, quand il est très jeune, il ne conçoit pas la mort comme vraiment définitive. En revanche, ce que ressentent les personnes qu'il aime, ses parents notamment, le touche particulièrement. Leurs émotions donnent leur tonalité aux choses de la vie. Il serait donc regrettable qu'en plus des informations que l'enfant demande, les adultes lui transmettent des sentiments personnels qui seraient lourds à porter. Mieux vaut pour eux rester objectifs et circonspects.

La réserve à observer quand on informe un enfant jeune peut s'appliquer à tous les domaines qui touchent à la vie privée et sentimentale des adultes. Il est important, comme le recommande Françoise Dolto, de ne donner aux enfants que les informations qui peuvent les concerner. Si ses parents se séparent, par exemple, il est bon d'expliquer à l'enfant quels vont être les changements dans le mode de vie de la famille, et de l'assurer que l'amour de ses parents lui restera entier. Quant aux raisons qui ont provoqué cette séparation, elles ne regardent que ses parents. Il n'est en général pas utile de s'étendre dessus.

Il serait néfaste pour l'enfant qu'à la tristesse de la situation s'ajoute le poids des conflits entre adultes – il n'est d'ailleurs pas vraiment à même de comprendre ces conflits. Il en est de même lorsqu'il s'agit de rapports difficiles ou de mésententes dans les familles. En faire état est nécessaire, afin que les choses soient claires, mais il est inutile d'expliquer en détail

Explications : évitez les excès

L'objectivité et la sobriété dans les explications sont de mise dans de nombreux domaines. Il en va ainsi de la préparation à une intervention chirurgicale. Des explications sur tout ce par quoi l'enfant va passer avant et après l'opération sont évidemment indispensables. Même s'il doit pleurer au récit qui lui en sera fait, l'enfant pourra de la sorte se préparer, et les traumatismes seront amoindris, sinon évités.

En revanche, ajouter aux explications orales une visite de la salle d'opération ou une présentation des instruments chirurgicaux, comme certaines personnes ont parfois voulu le faire, avec les meilleures intentions du monde, pour parfaire la préparation, est tout à fait déconseillé. Une vision trop précise des choses ne laisse en effet plus de place à l'imagination. Les images de la réalité s'imposent alors, et il n'y a plus aucune liberté pour s'en échapper quand elles deviennent insupportables.

les raisons connues ou supposées des conflits. Ce serait encombrer l'enfant de problèmes qui lui sont extérieurs, pour lesquels il ne peut rien faire, et dont il n'est sans doute pas capable de mesurer toute la portée.

Sous prétexte de ne rien lui cacher de la réalité, il ne faut pas instaurer une dictature de la vérité. Il y a un juste milieu entre tout dire et ne rien dire. Parfois, les mots peuvent être plus violents et plus nocifs que les non-dits. Pourquoi révéler au très jeune enfant des vérités qui ne le regardent pas et que, de surcroît, il ne cherche pas à connaître ? Il serait déplacé de lui parler de l'IVG de sa mère ou de la maîtresse de son père, par exemple, s'il pose des questions sur sa naissance ou sur la tristesse de sa mère. Respecter l'enfant implique de préserver sa capacité à rêver et à fantasmer, autrement dit de faire en sorte que, tout en se développant harmonieusement, il reste un enfant. Les enfants ne sont pas des grandes personnes [10].

Évidemment, tout dépend de l'âge de l'enfant. On ne parle pas à un enfant de quatre ou six ans comme on parlerait à un adolescent. Il est d'ailleurs plus douloureux de répondre à un enfant très jeune qu'à un adolescent qui poserait les mêmes questions. Il y a en effet des choses que l'on peut dire et expliquer aux plus grands, car ils sont mieux à même de comprendre et ont plus d'expérience de la vie. Les adolescents peuvent également prendre de la distance par rapport aux événements et aux nécessités de la vie, contrairement aux très jeunes enfants, qui vivent surtout dans le présent et le concret.

Ainsi, une très jeune enfant avait posé à sa mère des questions sur la mort, et plus particulièrement sur son universalité. La mère avait répondu que nous étions tous destinés à mourir. « Et toi aussi ? » avait demandé la fillette – Oui. » Pendant la période qui avait suivi, l'enfant s'était souvent réveillée la nuit en pleurant. Elle disait à sa mère en se serrant contre elle :

Je veux pas que tu meures. Je veux mourir en même temps que toi !

Louise, six ans

L'angoisse de perdre ses parents est très vive dans les jeunes années. En outre, le temps est difficilement appréciable. Si l'on confirme à l'enfant que ses parents sont mortels – chose qu'on ne doit pas lui cacher –, il pense immédiatement que cette catastrophe va arriver sur-le-champ.

En revanche, quand l'adolescent pose des questions sur la mort, celles-ci sont plus intellectuelles. Même s'il en parle volontiers et parfois la brave, il est déjà en train de la reléguer, comme le font les grandes personnes, au rang des concepts abstraits. Elle n'est plus immédiatement et concrètement menaçante pour sa personne et pour ceux qu'il aime. Le dialogue est donc beaucoup moins sous-tendu par l'angoisse. Il est en général plus facile, les deux interlocuteurs parlant à peu près le même langage.

Quelques précautions

Sur un certain nombre de sujets qui risquent d'entraîner une souffrance, mieux vaut donc attendre le moment où l'enfant est apte à entendre la vérité dans son intégralité. Au lieu de le soulager, elle risque sinon de l'encombrer et de l'angoisser. Nous parlons là essentiellement des informations concernant la vie personnelle des parents ou de l'entourage proche. En effet, il n'est pas question de cacher des vérités fondamentales sur la vie et la mort – la conception des enfants, la maladie, la vieillesse –, ou sur l'enfant et sa famille – son adoption ou la maladie d'un parent. Si le secret est gardé sur de tels sujets, le développement intellectuel de l'enfant en pâtira : comment pourra-t-il progresser si des bases essentielles de son existence lui manquent ?

Par ailleurs, lorsque les informations viennent de l'extérieur, il est important que les parents aident l'enfant à les décoder au cas où elles risqueraient d'avoir un impact négatif sur lui. Certaines nouvelles ou images reçues à la radio, au cinéma ou à la télévision peuvent surprendre l'enfant, le terroriser ou le choquer. Il est alors bon qu'un adulte soit présent, d'abord pour que l'enfant ne reçoive pas seul la nouvelle ou l'image en question, ensuite pour qu'il puisse en parler.

De jeunes enfants ont été auditeurs ou spectateurs de reportages et de commentaires terrifiants lors de la destruction des tours jumelles de New York ou de la survenue du tsunami en Asie, par exemple. L'adulte, s'il est présent dans de telles circonstances, peut servir de médiateur entre l'« événement choc » et la réalité de l'enfant. Celui-ci n'ayant pas encore d'esprit critique, il ne peut prendre de recul par rapport à l'événement ; il reçoit l'information de plein fouet. Dans ces conditions, il a besoin de poser des questions, afin de mettre en ordre les informations reçues, pour ensuite les intégrer à son univers mental.

En bref, les parents à qui un enfant pose une question difficile doivent avant tout montrer qu'ils sont fiers de lui. Il a posé une excellente question. Cela montre combien il réfléchit sur un sujet important. Toutes ses questions sont intéressantes et recevables. Surtout ne pas sourire, même quand la question a l'air charmante et drôle. De toute façon, lorsqu'on sait les écouter, les questions sont toujours pertinentes et souvent profondes. Elles permettent en outre aux enfants, surtout lorsqu'ils se trouvent devant un public élargi, d'apprendre à s'exprimer, à trouver les mots adéquats, à dire ce qu'ils pensent.

Les réponses doivent chercher à satisfaire et à relancer la curiosité de l'enfant. Mais il vaut mieux qu'elles soient brèves, concrètes, énoncées avec des mots simples, que l'enfant connaît. Des réponses longues ne pourraient retenir son attention jusqu'à la fin de l'explication. En plus d'informer et de former l'enfant, elles doivent viser à aider celui-ci à se dire et à s'entendre lui-même, ce qui est difficile à tout âge, mais plus particulièrement dans les jeunes années.

Évidemment, quand il s'agit de sujets graves ou profonds, l'adulte à qui s'adressent les questions doit savoir où il en est lui-même et ce à quoi il croit avant de répondre. Qu'il s'agisse d'interrogations sur Dieu, sur la souffrance, sur la vie ou la mort, l'enfant a besoin d'entendre des réponses sincères, des réponses qui viennent du cœur. Ce qui l'intéresse avant tout, c'est ce que pensent, sentent et croient les grandes personnes qu'il estime et qu'il aime.

CONCLUSION

Les jeunes enfants posent beaucoup de questions. Certaines d'entre elles pourraient venir de sages ou de philosophes. Mais « où [...] trouvent-ils la vision des choses qu'ils n'ont jamais vues ? », pouvons-nous nous demander à la suite de George Sand[1]. Quelles intuitions leur font imaginer des mondes inconnus d'eux ? Ils ne savent rien, et en même temps ils savent tout. C'est un peu comme s'ils détenaient en puissance toute la connaissance du monde. Comment pourraient-ils chercher à percer les mystères d'un univers inconnu d'eux s'ils n'en pressentaient pas l'existence ? La réponse à ces interrogations restera pour nous ici en suspens. Nous la laisserons aux épistémologistes, et ne retiendrons que la surprise et l'admiration que ces questions suscitent en nous.

Dans la pleine inconscience de leur innocence, les jeunes enfants ouvrent pour nous, en même temps qu'ils le font pour eux, des mondes extraordinaires, mondes disparus de notre enfance, mondes de l'inconnu en voie d'exploration. Ils réveillent en nous la curiosité et l'émerveillement de nos jeunes années. Leur capacité d'étonnement est intacte. Ne sauront faire encore des découvertes, scientifiques ou tout simplement pour le bonheur de la connaissance, que ceux d'entre nous qui, bien qu'ayant franchi les portes du savoir, auront gardé leurs yeux d'enfant.

Nombreux sont en effet les adultes chez qui l'étonnement fondamental suscité par l'existence du monde s'est peu à peu

émoussé. L'enfant devenu grand a perdu en chemin ses questions, les abandonnant à la métaphysique et à la science. À
moins que, philosophe de métier ou d'occasion, savant ou
chercheur, les mystères de l'univers continuent à le passionner.
« Cent ans après Einstein, le mystère de l'univers reste entier »,
titrait récemment un important quotidien, cherchant sans
doute à faire resurgir chez ses lecteurs adultes cette ancienne
curiosité des choses cachées.

Mais qu'est-ce qui pousse les enfants, à des degrés divers,
certes, mais de façon universelle, à explorer à tout prix le
monde qui les entoure ? Il y a quelque chose au départ chez
tous les êtres humains qui leur fait depuis toujours chercher la
vérité. Le désir de savoir existe tôt chez l'enfant, vite impatient
devant son ignorance. Celle-ci l'inquiète, ne le laisse pas en
repos, le maintient en éveil. La pulsion épistémologique, ce
besoin impératif de connaître, qui est propre à l'homme, est le
moteur de son développement. Elle découle à la fois de son
besoin de maîtrise et de son désir de voir. « Le temps de l'enfance est celui de l'adhérence au monde, de son investigation
par les sens et l'imaginaire[2]. » Entraver cette pulsion chez le
jeune enfant pourrait nuire au développement harmonieux de
son intelligence.

L'enfant est né pour réinventer le monde. Pour lui, rien n'est
encore arrêté, et tout est possible. Pas encore trop marqué par
la société, ni coupé de l'originaire, il est peu soucieux des juge-
ments extérieurs, peu calculateur et cynique. À lui, tout est

ouvert. Le monde entier, nous l'avons vu tout au long de cet ouvrage, lui appartient. « Cet illimité si singulier de l'enfance » : ainsi le poète Rainer Maria Rilke qualifie-t-il l'infinie étendue du monde enfantin. « Plus l'on regardait dehors, plus l'on remuait de choses au fond de soi : Dieu sait d'où elles venaient[3] ! »

L'enfant a soif de découvrir ce qu'il croit lui être caché. Cependant, à partir des éléments qu'il a découverts, il a aussi besoin de construire un tout cohérent qui englobe le monde dans sa totalité. Par ses questions, il cherche non seulement à savoir, mais encore à tester les constructions personnelles élaborées à partir de savoirs déjà acquis mêlés d'imaginaire. C'est là qu'intervient le mythe. « Le mythe est la seule forme de pensée qui permette d'appréhender le monde dans sa totalité : [...] tout y a droit de cité et s'organise en vastes fresques mouvementées : la naissance et la mort, la victoire et la défaite, [...] le rire et les larmes, l'amour et la haine, le désespoir et la jubilation[4]. »

L'enfant est intimement persuadé que tout a un sens. Quand il interroge l'adulte, il cherche implicitement ce sens, et non simplement des explications. Trouver un sens aux choses – un certain sens en tout cas, même si la réalité ainsi dévoilée peut apporter souffrance et désillusion – le rassurera et lui permettra d'aller de l'avant. Les terreurs se nourrissent plus de l'inconnu que de la réalité, aussi dure soit-elle. C'est pourquoi le temps de l'enfance, que d'aucuns qualifient de paradisiaque, n'est pas de tout repos. Jeanne Herry se souvient : « La nostalgie ne m'a jamais paru douce à vivre. [...] De mon enfance je ne regrette rien, et surtout pas une hypothétique insouciance. L'enfance se soucie beaucoup [5]. »

En fait, tenter d'arracher un sens à ce que certains considèrent comme les absurdités ou les brutalités du monde, n'est-ce pas, pour les adultes, ce que l'on appelle philosopher ? N'est-ce pas autour de la question essentielle de la philosophie, « celle de savoir si le fait d'être au monde, dans ce monde, a une raison, et laquelle [6] », que se situe la quête de sens des adultes, prolongement des pourquoi des enfants ?

Pourtant, les jeunes enfants, nous l'avons vu aussi, ne demandent pas et ne se demandent pas ce qu'ils font sur terre, à moins de circonstances dramatiques particulières. Cela ne leur vient pas à l'idée. Ils peuvent se demander en revanche s'ils y sont bien à leur place et si cette place leur plaît. Ainsi Ludivine, petite fille de huit ans, qui, parlant de son poupon, disait : « Il s'appelle Christophe. S'il pouvait parler, je lui demanderais s'il est content d'être Christophe. » Cette fillette évoquait bien entendu inconsciemment une préoccupation profonde.

Cette préoccupation transparaît dans la plupart des questions que les enfants posent et que nous avons évoquées. Ces questions, en fait, se réfèrent toutes d'une façon ou d'une autre à leurs assises dans la vie : D'où viennent-ils, et d'où vient tout ce qui se trouve sur terre ? Où tout cela ira-il après ? Ils s'interrogent sur le temps et l'espace dans lesquels ils évoluent, sur leur identité, à partir des ressemblances et des différences. Ils s'interrogent surtout sur l'amour, sans lequel ils ne pourraient vivre, et sur le langage, qui les rattache aux autres.

En fait, la quête profonde des enfants concerne la base essentielle de leur vie : ce qui les a fait venir au monde et ce qui les retient sur terre ; savoir qu'ils sont aimés, qu'ils ont de tout temps été voulus et qu'ils resteront éternellement désirés. Beaucoup de questions, même les questions scientifiques, portent, derrière leur sens explicite, dont il faut bien entendu tenir compte également, cette préoccupation cachée. Les « vraies » questions sont ou seraient alors : « Est-ce que vous m'avez vraiment voulu ? » « Est-ce que tu tiens à moi ? » « Est-ce que tu vas m'aimer encore ? » « Est-ce que vous allez me laisser ? » « Est-ce que vous m'aimerez toujours ? » « Est-ce que je suis le bienvenu dans ce monde ? »

Le fait même que le jeune enfant pose des questions est une marque de confiance de sa part. C'est en même temps le signe d'une tentative de rapprochement. Mais dans ses questions, en plus de l'expression d'une inquiétude amoureuse, il y a en quelque sorte une demande d'initiation, initiation qui lui permettrait d'être admis comme égal dans le monde des grands. « Être initié, c'est posséder les réponses à certaines questions angoissantes [7] », ou du moins être mis au rang de ceux qui sont censés posséder ces réponses. N'est-ce pas ce que cherche aussi l'adulte quand il philosophe ?

Ce qui sépare cependant essentiellement l'adulte de l'enfant, c'est la force de vie de ce dernier. Il y a chez le jeune enfant une force, une détermination, une ferveur qui nous dépassent complètement. En lui, la vie triomphe. Là réside sa toute puis-

sance. Amélie Nothomb écrit ainsi : « J'étais le déferlement, l'être, l'absence radicale de non-être, le fleuve à son plus haut débit, le dispensateur d'existence, la puissance à implorer[8]. »
L'enfant est la vie, le chatoiement du vivant. C'est ce qui le rend si attirant, de même que son ouverture sur la vie. « Son domaine, écrit François Gantheret, est celui que Rilke nommait l'Ouvert : celui de l'oiseau qui a le rapport affectif le plus confiant avec le monde extérieur [...][9]. » Le jeune enfant ouvre sur le monde un regard toujours neuf. « C'est à cette curiosité profonde et joyeuse qu'il faut attribuer l'œil fixe et animalement extatique des enfants devant le nouveau quel qu'il soit[10]. »
Chez le très jeune enfant, comme chez l'artiste d'ailleurs, qui retrouve, à force de travail, une même fraîcheur d'âme et de regard, la vie fait éclater les limites du corps. Leur âme à tous deux sait habiter le monde. C'est ce qu'ils nous montrent et qui nous réjouit les yeux, les oreilles et le cœur. Mais aussi, pour le petit enfant qui ne sait rien, comme pour l'artiste, qui a fait table rase de tout ce qu'il pouvait savoir, rien ne tombe sous le sens et tout est possible. Tout reste à créer aussi. « En veillant à ce qu'il naisse toujours des enfants capables de redécouvrir le monde, Dieu a fait en sorte que la création ne soit jamais achevée[11]. »
Comment mieux illustrer ce propos qu'en évoquant le dieu-enfant de la religion étrusque, enfant prodige sorti de la terre pour transmettre un savoir divin à la population. Selon Tite-

Live en effet, un enfant, Tagès, apparu dans le sillon de la charrue d'un paysan de Tarquinia, en Sicile, aurait révélé à la foule les secrets et les pratiques de l'aruspicine, science des devins qui examinaient les entrailles des victimes pour en tirer des présages. Ces présages avaient pour but de mettre les actions des hommes en harmonie avec les volontés divines.

Finalement, les questions des enfants, qui leur sont tant utiles à eux, nous apportent aussi beaucoup à nous. Elles nous invitent à voir ce que nous ne voyons plus et nous incitent à une plus grande ouverture. Philosopher, c'est en effet se poser des questions plutôt que les résoudre. Peu importe donc de chercher à tout prix la réponse parfaite. L'important n'est-il pas le dialogue entre l'enfant et l'adulte, échange fait de mots, mais aussi, pour autant que la grande personne y soit attentive, d'intuitions partagées ?

Voilà ce que nous apportent en abondance les questions des jeunes enfants. En plus de nous donner l'occasion rare de réfléchir sur la vie et sur notre situation d'humains, elles nous renvoient, par la fraîcheur et la liberté qu'elles nous font entrevoir, à la part d'enfance qui est en nous. Si nous savons écouter naïvement les questions de nos enfants, nous retrouverons dans nos vies d'adultes un regard neuf, et sans doute aussi cette capacité à faire advenir du nouveau que nous admirons tant chez eux.

NOTES

Introduction

1. Irène Frain, *La Maison de la source*, Paris, Fayard, « Le Livre de Poche », n° 15272, 2000.
2. Jostein Gaarder, *Dans un miroir obscur*, Paris, Seuil, « Points », n° 549, 1999.
3. Amélie Nothomb, in Frédéric Joignot, « Entretien avec », *Le Monde 2*, 9 octobre 2004.
4. Selma H. Fraiberg, *Les Années magiques*, Paris, PUF, 1967.
5. Hans Christian Andersen, *Contes*, Paris, Le Livre de Poche classique, n° 16113, 2003.
6. Antoine Jacob, « Nous ne voulons exclure personne des célébrations », *Le Monde*, 1er avril 2005.
7. Les âges ou tranches d'âges mentionnés ne le seront qu'à titre indicatif. Si l'on constate en effet une évolution des intérêts de l'enfant parallèle à son développement, il n'en va pas toujours de même pour ses préoccupations.

1
L'enfant à la découverte de lui-même

1. Rudyard Kipling, *Histoires comme ça*, Paris, Hachette, 1991.
2. Dans les dessins d'enfants, le soleil est souvent le symbole du père.
3. Alain Gillis, *L'Enfant grave*, Paris, La chambre d'échos, 2005.
4. Jacqueline Harpman, *La Fille démantelée*, Bruxelles, Éditions Labor, 1994.
5. Centre de vulgarisation de la connaissance, *Pourquoi ?*, CNRS Éditions, Opération Archimède, 2005.
6. Gao Xinggjian, *La Montagne de l'âme*, Éditions de l'Aube, « Aube Poche », 2000.
7. Sébastien Babilar, *La Pomme et l'Atome : douze histoires de physique contemporaine*, Paris, Odile Jacob, 2005.
8. James Graham Ballard, « Mes parents étaient incapables de veiller sur moi », *Le Monde*, 5 août 2005.
9. Antoine de Saint-Exupéry, *Le Petit Prince*, Paris, Gallimard, Folio Junior, 1997.
10. Jean-Claude Baudroux, *Quand j'étais pas né*, Gambais, Éditions du Bastberg, « Les P'tits Bouts », 2001.
11. Amélie Nothomb, *La Métaphysique des tubes*, Paris, Albin Michel, 2000.

12. Pascal Quignard, *Les Paradisiaques*, Paris, Grasset, 2005.

13. George Sand, *Histoire de ma vie*, t. I, Paris, Garnier Flammarion, 2001.

14. Irène Frain, *La Maison de la source*, Paris, Fayard, « Le Livre de Poche », n° 15272, 2000.

15. Catherine Paysan, *La Colline d'en face*, Paris, Albin Michel, « Le Livre de Poche », n° 6639, 2002.

16. Jean-Marie Gustave Le Clézio, *Pawana*, Paris, Gallimard, 1992.

17. Pascal Quignard, *Les Paradisiaques*, *op. cit.*

18. Selma H. Fraiberg, *Les Années magiques*, *op. cit.*

19. Irène Frain, *La Maison de la source*, *op. cit.*

20. Anne Bragance, *Une enfance marocaine*, Paris, Actes Sud, 2005.

21. Françoise Dolto, *Enfances*, Paris, Seuil, « Points Actuels », 1986.

22. Colette Fellous, *Avenue de France*, Paris, Gallimard, « Folio », n° 4133, 2001.

23. Selma H. Fraiberg, *Les Années magiques*, *op. cit.*

24. Kirsty Gunn, *Pluie*, Paris, Christian Bourgois, 10/18, n° 2993, 1994.

25. Anne Bragance, *Une enfance marocaine*, *op. cit.*

26. Roger Perron, *La Passion des origines – Être et ne pas être*, Lonay/Paris, Delachaux et Niestlé, 2003.

27. A. de Mijolla, *Préhistoires de famille*, Paris, PUF, « Le fil rouge », 2004.

28. Alain Gillis, *L'Enfant grave*, *op. cit.*

29. J.-B. Pontalis, *Le Dormeur éveillé*, Paris, Mercure de France, 2004.

30. Richard Lonetto, *Dis, c'est quoi quand on est mort ?*, Paris, Eshel, 1988.

31. Il s'agit de Clea Koff, anthropologue médico-légale responsable de missions mandatées par les Nations unies pour la justice internationale.

32. Alain Gillis, *L'Enfant grave*, *op. cit.*

33. Amélie Nothomb, *La Métaphysique des tubes*, *op. cit.*

34. George Sand, *Histoire de ma vie*, *op. cit.*

35. Dominique de Saint-Mars, Serge Bloch, *Le chien de Max et Lili est mort*, Paris, Calligram-Gallimard, « Ainsi va la vie », 2005.

2
L'espace et le temps

1. Jean Piaget, *La Représentation du monde chez l'enfant*, Paris, PUF, « Bibliothèque de philosophie contemporaine », 1947.
2. *Ibid.*
3. Bruno Bettelheim, *Psychanalyse des contes de fées*, Paris, Hachette, « Pluriel », n° 898, 1976.
4. Hans Christian Andersen, *Contes, op. cit.*
5. Bruno Bettelheim, *Psychanalyse des contes de fées, op. cit.*
6. Irène Frain, *La Maison de la source, op. cit.*
7. Jeanne Ashbe, *Où va l'eau ?*, Paris, L'école des loisirs, « Pastel », 1999.
8. Jean Piaget, *Six Études de psychologie*, Genève, Gonthier, « Bibliothèque médiations », 1964.
9. George Sand, *Histoire de ma vie, op. cit.*
10. Louise Lacharon, *Le Jardin d'enfance*, La Mezzanine, 2002.
11. Irène Frain, *La Maison de la source, op. cit.*
12. Stéphane Audeguy, *La Théorie des nuages*, Paris, Gallimard, NRF, 2005.
13. Jean Piaget, *Six Études de psychologie, op. cit.*
14. George Sand, *Histoire de ma vie, op. cit.*
15. Irène Frain, *La Maison de la source, op. cit.*
16. Philippe Delerm, *Un été pour mémoire*, Paris, Gallimard, Folio n° 4132, 2000.
17. Amélie Nothomb, *La Métaphysique des tubes, op. cit.*
18. Françoise Dolto, *Enfances, op. cit.*
19. Camille Fournier et Alix Girod de l'Ain, « Quand je serai papa », *Elle*, 13 juin 2005.
20. Bruno Dellinger, *World Trade Center 47ᵉ étage*, Paris, Robert Laffont, « J'ai Lu » n° 7320, 2002.
21. Marie-Hélène Place, Caroline Fontaine-Riquier, Féodora Stancioff, *Balthazar et le temps qui passe*, Paris, Hatier, « Aide-moi à faire seul », 1998.
22. Jean Piaget, *Six Études de psychologie, op. cit.*
23. Catherine Paysan, *La Colline d'en face, op. cit.*
24. Stéphane Audeguy, *La Théorie des nuages, op. cit.*
25. Françoise Dolto, *Enfances, op. cit.*

26. Jean Piaget, *Six Études de psychologie*, *op. cit.*

27. Bruno Bettelheim, *Psychanalyse des contes de fées*, *op. cit.*

28. Jean Piaget, *La Représentation du monde chez l'enfant*, *op. cit.*

29. Françoise Dolto, *Enfances*, *op. cit.*

30. Jeanne Herry, *80 Étés*, Paris, Gallimard, « Haute Enfance », 2005.

31. Jean Piaget, in Bruno Bettelheim, *Pour être des parents acceptables*, Paris, Robert Laffont, Pocket n° 11479, 1987.

32. Léon Tolstoï, *Enfance, adolescence, jeunesse*, Paris, Gallimard, « Folio », 1975.

33. Pierre Lepape, *Le Monde*, 12 juillet 2005, à l'occasion de la mort de Claude Simon.

3
Comprendre les autres et le monde

1. Marcel Locquin, *Quelle langue parlaient nos ancêtres préhistoriques ?*, Paris, Albin Michel, « Essais/Clés », 2002.

2. Jean-Jacques Rousseau, *Essai sur l'origine des langues*, in *Traités sur la musique* [1781].

3. Ferdinand de Saussure, *Cours de linguistique générale*, Paris, Payot, 1972.

4. Bénédicte de Boysson-Bardies, *Comment la parole vient aux enfants*, Paris, Odile Jacob, « Poches », 2005.

5. Stéphane Foucart, « Sur la piste d'une hypothétique langue mère », *Le Monde*, 17 août 2005.

6. Amélie Nothomb, *La Métaphysique des tubes*, *op. cit.*

7. Stéphane Foucart, « Sur la piste d'une hypothétique langue mère », article cité.

8. Amélie Nothomb, *Biographie de la faim*, Paris, Albin Michel, 2004.

9. Catherine Paysan, *La Colline d'en face*, *op. cit.*

10. Roland Barthes, *Fragments d'un discours amoureux*, Paris, Seuil, 1977.

11. Voir « D'où ça vient ? Où ça va ? », p. 67.

12. Amélie Nothomb, *La Métaphysique des tubes*, *op. cit.*

13. Selma H. Freiberg, *Les Années magiques*, *op. cit.*

14. Annie Saumont, *Le lait est un liquide blanc*, Paris, Julliard, « Pocket » n° 12027, 2002.

15. Voir « C'est où ? » , p. 105.

16. Catherine Paysan, *La Colline d'en face, op. cit.*

17. Christiane Singer, *Les Âges de la vie*, Paris, Albin Michel, « Espaces libres », 1990.

18. Irène Frain, *La Maison de la source, op. cit.*

19. Agence nationale des pratiques culturelles autour de la littérature jeunesse, « La Littérature jeunesse a-t-elle bon goût ? », *Mille et Un Bébés*, Ramonville-Saint-Agne, Érès, 2005.

20. Michel Leiris, *Biffures*, Paris, Gallimard, « L'imaginaire », n° 260, 1975.

21. Anne Bragance, *Une enfance marocaine, op. cit.*

22. Nicole Fabre, *La vérité sort de la bouche des enfants*, Paris, Albin Michel, 1998.

23. Pierre Ferran, *Les Vrais Mots d'enfants*, Paris, Horay, 1999.

24. Marie Rouanet, *Enfantine*, Paris, Albin Michel, 2002.

25. Valery Larbaud, *Enfantines*, Paris, Gallimard, « L'imaginaire », 1950.

26. Louise Lacharon, *Jardin d'enfance*, La Mezzanine, 2002.

27. Georges Pérec, *W ou le Souvenir d'enfance*, Paris, Gallimard, « L'imaginaire », n° 293.

28. Michel Leiris, *Biffures, op. cit.*

29. Anne Bragance, *Une enfance marocaine, op. cit.*

30. Patrick Ben Soussan, *La Gourmandise est un vilain péché*, in *La littérature jeunesse a-t-elle bon goût ?, op. cit.*

31. *Le Test de Terman-Merrill*, Issy-les-Moulineaux, Éditions scientifiques et psychologiques, 1978.

32. Françoise Dolto, *Enfances, op. cit.*

33. Alain Gillis, *L'Enfant grave, op. cit.* (pour les deux citations).

34. T. Berry Brazelton, Joshua D. Sparrow, *Points forts*, t. II, Paris, Éd. Stock/Laurence Pernoud, « Livre de Poche », n° 10001, 2002.

35. Amélie Nothomb, *La Métaphysique des tubes, op. cit.*

36. Alain Gillis, *L'Enfant grave, op. cit.*

37. Nicole Fabre, *La vérité sort de la bouche des enfants, op. cit.*

38. T. Berry Brazelton, Joshua D. Sparrow, *Points forts, op. cit.*

39. *La Lettre de l'association Sparadrap*, n° 12, septembre 2005.

40. Caisse des dépôts et consignations, *La Retraite vue par les enfants*, Bordeaux, 2002.

41. Michaëla Bobasch et Fatima-Zahra Taznout, « Les "cafés des âges" facilitent la parole sur le vieillissement », *Le Monde*, 7 décembre 2005.

42. Christiane Singer, *Les Âges de la vie, op. cit.*

43. Brigitte Labbe et Michel Puech, *La Beauté et la Laideur*, Toulouse, Milan, « Les Goûters Philo », 2002.

44. Épreuve du test de Terman-Merrill dite « Comparaisons esthétiques ».

45. Richard Millet, *Le Goût des femmes laides*, Paris, Gallimard, NRF, 2005.

46. Marie Rouanet, *Enfantines, op. cit.*

47. Charles Baudelaire, *Écrits sur l'art*, Paris, Le Livre de Poche, n° 3921, 1999.

48. Françoise Dolto, *Enfances, op. cit.*

49. Charles Lalo, *Notions d'esthétique*, Paris, PUF, 1948.

50. André Maurois, « À la recherche de Marcel Proust », *Vingt Leçons sur les beaux-arts*, Paris, Gallimard, « Idées NRF », 1931.

4
Le réél et l'imaginaire

1. Les contes de fées, si prisés à cette époque de la vie, répondent au besoin des enfants de séparer clairement le bien et le mal, de voir le mal puni et le bien récompensé.

2. Amélie Nothomb, *La Métaphysique des tubes, op. cit.*

3. Julie Delalande, *La Récré expliquée aux parents*, Paris, Audibert, 2003.

4. Camille Fournier et Alix Girod de l'Ain, « Quand je serai papa », article cité.

5. Claude Boukolza, *À quoi ça sert l'école ?*, Paris, Audibert, « Brins de psycho », 2000.

6. *La Lettre de l'association Sparadrap, op. cit.*

7. Catherine Paysan, *La Colline d'en face, op. cit.*

8. George Sand, *Histoire de ma vie* [1854-1855].

9. *Ibid.*

10. *Ibid.*

11. Émile Zola, *Le Rêve*, Paris, Pocket Classiques, n° 6074, 1995.

12. Florence Noiville, « Mère-grand, où sont passés nos contes d'antan ? », *Elle*, 25 mai 2001.

13. Rainer Maria Rilke, *Les Cahiers de Malte Laurids Brigge*, Paris, Émile-Paul Frères, 1943.

14. George Sand, *Histoire de ma vie, op. cit.*

15. Jean Piaget, *La Représentation du monde chez l'enfant, op. cit.*

16. Dominique Gobert, *Il était une fois le bon Dieu, le père Noël et les fées*, Paris, Albin Michel, 1992.

17. Marc Lévy, *Où es-tu ?*, Paris, Robert Laffont, « Pocket », 2001.

18. Selma J. Fraiberg, *Les Années magiques, op. cit.*

19. Christiane Singer, *Les Âges de la vie, op. cit.*

20. Bruno Bettelheim, *Pour être des parents acceptables*, Paris, Robert Laffont, « Pocket », 1987.

21. *Ibid.*

22. Françoise Dolto, *Lorsque l'enfant paraît*, t. I, Paris, Seuil, « Points » n° 595, 1977.

23. Danielle-Marie Lévy et Françoise Dolto, *Parler juste aux enfants*, Paris, Mercure de France, « Le Petit Mercure », 2002.

24. Sigmund Freud, *Totem et tabou*, Paris, Petite Bibliothèque Payot/9. 1965.

25. Anne Bragance, *Une enfance marocaine, op. cit.*

26. Laurent Gaude, *Le Soleil des Scorta*, Paris, Actes Sud, 2004.

27. Marie-Louise Audiberti, *Écrire l'enfance*, Paris, Autrement, « Mutations », 2003.

28. Benoît Virole, *L'Enchantement Harry Potter*, Paris, Hachette Littératures, « Pluriel », 2001.

29. Michel Leiris, *Biffures, op. cit.*

30. Selma H. Fraiberg, *Les Années magiques, op. cit.*

31. Amélie Nothomb, *La Métaphysique des tubes, op. cit.*

32. Adrien Goetz, *Une petite légende dorée*, Paris-New York, Le Passage, 2005.

33. Jean Piaget, *Six Études de psychologie, op. cit.*

34. Selma H. Fraiberg, *Les Années magiques, op. cit.*

35. Eugène Savitzkaya, *Exquise Louise*, Paris, Éditions de Minuit, 2003.

36. Amélie Nothomb, *La Métaphysique des tubes, op. cit.*

37. Louise Lacharon, *Le Jardin d'enfance, op. cit.*

38. Selma H. Fraiberg, *Les Années magiques, op. cit.*

39. Françoise Dolto, *Enfances, op. cit.*

40. Irène Frain, *La Maison de la source, op. cit.*

41. Amélie Nothomb, *La Métaphysique des tubes, op. cit.*

42. Benoît Virole, *L'Enchantement Harry Potter*, *op. cit.*
43. Colette, *Sido* [1929] – *Les Vrilles de la vigne*, Paris, Hachette, Livre de Poche, n° 373, 1931.
44. C.V., « Et la fantaisie vint à l'enfant », *Le Monde*, 24 mars 2004.
45. Colette, *Sido* [1929] – *Les Vrilles de la vigne*, *op. cit.*
46. Irène Frain, *La Maison de la source*, *op. cit.*
47. Jostein Gaarder, *Dans un miroir obscur*, *op. cit.*

5
Comment répondre ?

1. Éric-Emmanuel Schmitt, *Ma vie avec Mozart*, Paris, Albin Michel, 2005.
2. Jean Piaget, *La Représentation du monde chez l'enfant*, *op. cit.*
3. Jean Piaget, *Six Études de psychologie*, *op. cit.*
4. George Sand, *Histoire de ma vie*, *op. cit.*, et *La Petite Fadette*, Paris, Gallimard, « Folio classique », n° 4011, 2004.
5. Selma H. Fraiberg, *Les Années magiques*, *op. cit.*
6. Françoise Dolto, *Lorsque l'enfant paraît*, t. II, Paris, Seuil, « Points » n° 596, 1978.
7. Irène Frain, *La Maison de la source*, *op. cit.*
8. Jules Vallès, *L'Enfant*, Paris, Gallimard, « Folio plus classiques », n° 12, 2003.
9. Irène Frain, *La Maison de la source*, *op. cit.*
10. Béatrice Copper-Royer, *Vos enfants ne sont pas des grandes personnes*, Paris, Albin Michel, 1999.

Conclusion

1. George Sand, *Histoire de ma vie*, t. I, *op. cit.*
2. Christiane Singer, *Les Âges de la vie*, *op. cit.*
3. Rainer Maria Rilke, *Les Cahiers de Malte Laurids Brigge*, *op. cit.*
4. Christiane Singer, *Les Âges de la vie*, *op. cit.*
5. Jeanne Herry, *80 Étés*, *op. cit.*
6. *Les Grandes questions de la philo*, Textes réunis et présentés par Marie-Reine Morville, Maisonneuve et Larose Éd., Paris, 1998.

7. *Les Questions incontournables des enfants et les réponses évasives des adultes*, sous la direction de Michel Soule, E.S.F. Éd., Coll. La Vie de l'Enfant, Paris, 1994.

8. Amélie Nothomb, *Biographie de la faim, op. cit.*

9. François Gantheret, *La petite route du Tholonet*, Gallimard, L'un et L'autre, Paris, 2005. Et Rainer Maria Rilke – Lou Andreas Salomé, *Correspondance*, Gallimard, 1980.

10. Charles Baudelaire, *Écrits sur l'art, op. cit.*

11. Jostein Gaarder, *Dans un miroir obscur, op. cit.*